EL PROFESIONAL
COMPLETO

Ron Ball

EL PROFESIONAL
COMPLETO

El profesional completo

Ron Ball

Traducido por Elbio Carballo

Copyright © 2014

Derechos reservados

Publicado por

Editorial RENUEVO

www.EditorialRenuevo.com

info@EditorialRenuevo.com

ISBN: 978-1-937094-75-1

CONTENIDO

EL PROFESIONAL
COMPLETO

PRIMERA PARTE:

CÓMO SER UN

VERDADERO PROFESIONAL

GERENTES VS. LÍDERES

Bienvenidos a una nueva presentación que les ayudará a mejorar sus habilidades de liderazgo! Como han estudiado acerca del liderazgo, muchos de ustedes saben que existe una gran diferencia entre ser un buen gerente y ser un líder efectivo.

JOHN MAXWELL COMO EJEMPLO

John Maxwell, un gran líder cristiano además de ser un gran entrenador profesional, muchas veces ha enfatizado la tremenda diferencia que existe entre estos dos conceptos. Un gerente básicamente se ocupa de dirigir las cosas. Un gerente no necesariamente es un visionario. Un gerente no necesariamente sabe hacia dónde ir. Pero un gerente tomará lo que tú le des a él o ella y se encargará de ello.

Un líder, al contrario, es algo muy... muy... muy diferente. Un líder tiene la valentía, el coraje, la iniciativa y un espíritu aventurero. Un líder es alguien que encabeza. Entonces, yo sé que al escuchar esto, no quieres ser sólo un gerente, sino que quieres ser un líder. Estoy confiado de que tú deseas ser un líder efectivo—en tu familia, en tu hogar, en tu iglesia y especialmente en tu negocio. Aquellos de ustedes que han comprado esta información están enfocados en cómo ser un profesional completo. De hecho, el liderazgo y un entendimiento del liderazgo, es el comienzo hacia convertirte en un profesional completo.

WINSTON CHURCHILL COMO EJEMPLO

Richard Holmes es un escritor y biógrafo militar respetado. Él es profesor de estudios de seguridad militar en Crane Field University y el Royal Military College of Science en Gran Bretaña. Él recibió su educación en Cambridge, Northern Illinois University y Reading University. Él es autor de varios libros, entre los cuales se encuentran REDCOAT, THE BRITISH SOLDIER in THE AGE OF HORSE AND MUSKET y WELLINGTON, THE IRON DUKE. De hecho, ambos libros estuvieron entre los más vendidos en Gran Bretaña. Él también es editor general del libro OXFORD COMPANION TO MILITARY HISTORY.

Hace poco, el profesor Holmes decidió abordar uno de los temas más grandes del último siglo, Winston Churchill. Él dijo que comenzó su investigación sobre el carácter y la carrera de Churchill sabiendo que por cierto, él no era el primero en hacerlo y que muchas, pero muchísimas, otras personas lo habían hecho antes que él. Había un gran número de personas que habían estudiado a Churchill. Ya había estantes y bibliotecas llenas de libros acerca de Churchill por todas partes del mundo. Holmes primero estuvo un poco intimidado, pero luego pensó: «¿Cómo puedo estudiar a un líder tan notable como este? ¿Cómo puedo abordar este tema y encontrar algo nuevo?» Así que él decidió titular su estudio Un Estudio en Carácter. Él deseaba saber qué era lo que realmente motivaba a Churchill desde su interior.

Uno puede discutir si Churchill fue realmente un líder y un profesional completo. Según Holmes, la respuesta para ambas preguntas es un Sí. Él era un líder tremendo, dinámico y eficaz, así como también un profesional completo. Yo estoy asombrado con la manera que este autor tomó a Churchill y demostró a través de su carrera y vida cómo Churchill no sólo tenía talento, sino que también supo cómo desarrollar ese talento. Él sabía cómo usar ese talento.

¿Y tú? Quizás tengas talento. Quizás tengas habilidad. Quizás tengas aptitud. Quizás tengas inteligencia. ¿Pero sabes cómo hacer para usar todo eso? ¿Sabes cómo coordinar todas tus fuerzas y cómo manejar todas tus debilidades con tanta efectividad para poder salir hacia adelante en la vida? La vida no es un ensayo. No es un tiempo de prueba. Es aquí y ahora mismo.

Antes de que llegues al cielo o al infierno, los cuales son tan reales como esta vida, tú debes entender que esta vida no es un recorrido de prueba. Es algo en serio y la manera que tú manejas tu vida ahora y cómo manejas tus oportunidades ahora tiene una importancia crítica para todo lo que tiene que ver con tu vida. Así que aprende de Churchill. Aprende a no sólo ser una persona de talento, habilidad y energía, sino también aprende a juntar todas estas cosas para formar un paquete que es un profesional completo.

Richard Holmes finaliza su estudio encantador

de Churchill contando que Churchill tenía una complejidad tremenda y que logró realizar tantas cosas asombrosas. Él acaba su libro diciendo:

Él era un hombre muy complejo, compuesto de ingredientes contradictorios y lleno de pasión y sentimientos. Por un tiempo breve en su compañía, nos convertimos en niños peligrosos, persiguiendo visiones de gloria. En el tiempo necesitado de Inglaterra, él le renovó la juventud y fortaleció el espíritu de esa nación. Para él, nunca fue una cuestión de Inglaterra para bien o para mal, sino sólo Inglaterra. Es porque era de Bacon en su política, isabelino en su corazón y de Shakespeare en su elocuencia, que el mismo poeta más grande de Inglaterra se despide de él. Shakespeare dijo: «Su vida fue amable y los elementos que lo constituían se combinaron de tal modo, que la naturaleza, irguiéndose, pudiese decir al mundo entero: «Éste era un hombre».

Ahora bien, ¿qué dirán las personas de ti? Tú tienes la oportunidad de renovar tu juventud ahora mismo. Tú tienes la oportunidad de fortalecer tu espíritu. Tú tienes la oportunidad de ser un profesional completo, de hacer algo maravilloso de tu vida.

Yo ahora te daré mucha información específica y técnica. Te daré varias instrucciones prácticas. Te explicaré cómo organizar tu vida alrededor de esta idea, este principio, este concepto y cómo funcionará en tu vida real. Pero, quiero que tú entiendas que tu propósito final es que Dios pueda utilizar tu vida. Yo no quiero que vivas más en las aguas playas. No quiero que tú permanezcas en una posición en la vida en la cual tú estas con problemas, frustrado, enojado y exasperado. Yo quiero que tú escapes de todo eso... que rompas tus lazos y rompas con esos problemas. Aún no tienes idea de lo lejos que tú puedes ir. Realmente no sabes. No sólo necesitas tener una visión, sino que también necesitas ser un profesional completo. Tú debes ser el paquete completo. Debes saber cómo organizar tus talentos de la manera más efectiva posible, porque sólo puedes dar una corrida en la vida y vas a querer triunfar.

JOE GIRARD COMO EJEMPLO

Hace poco, yo leí una historia fascinante acerca de Joe Girard. Él fue seleccionado hace varios años por el libro de los récords Guinness como el vendedor más exitoso del mundo. Él era un vendedor de autos que vendía en exceso de mil vehículos nuevos al año. Los investigadores de Guinness le informaron a él que estaba siendo vigilado e investigado para ver si era posible que él fuese el vendedor más grande del mundo en aquella época. Finalmente le enviaron las noticias, diciéndole que sí, ¡él había ganado y que él era el mejor vendedor que ellos jamás habían estudiado!

Al escuchar esta historia, me resultó interesante y decidí estudiar el caso del Sr. Girard. Su historia ya lleva varios años, pero sigue teniendo muchas lecciones importantes para ti en la actualidad. Escucha lo que él dijo en un ensayo autobiográfico que él escribió:

El año que yo me convertí en el vendedor número uno de autos nuevos, fui honrado en un banquete presentado por la compañía de automóviles cuyos vehículos yo vendía. Era llamado el Banquete de la Legión de Líderes. Yo recibí muchos aplausos

esa primera vez y en ese momento, yo no sabía ni sospechaba los tremendos obstáculos destructores de mi imagen que me estaban esperando.

El año siguiente volví a estar en la Legión de Líderes. Había ganado otra vez. Yo fui el vendedor número uno de autos en la compañía, pero los aplausos habían disminuido. El tercer año en ese banquete fui recibido no con aplausos, sino abucheos. Allí yo estaba parado al lado de la mesa principal y quedé asombrado. Estaba tan impactado y estupefacto que quedé paralizado. Miré hacia el extremo de la mesa y vi a mi esposa June llorando. Miré hacia la audiencia de esos otros vendedores y pude sentir sus reacciones como si fuesen obstáculos gigantes que de repente habían sido plantados en mi camino hacia el éxito. Yo me quedé ahí escuchando los abucheos y las pitadas de mis compañeros, los mejores vendedores. Ellos no estaban en el primer puesto en ventas, pero sí estaban en los segundos y terceros puestos y así habían llegado al banquete.

De repente hallé el coraje al recordar a otro personaje que también había sufrido los abucheos

de una multitud. En mi opinión, él fue uno de los peloteros más grandes de su tiempo. Un hombre que durante su carrera, tuvo un promedio al bate de 406... Ted Williams. Yo recuerdo que cada vez que un estadio abucheaba a Williams, ¡su promedio de hecho aumentaba! Fue en ese momento en mi vida, que yo aprendí de su ejemplo cómo «apagar» las pitadas de los demás y seguir trabajando.

Así que esa noche en el banquete, yo eché a un lado el discurso que había preparado. Les pedí a todos aquellos que me habían abucheado que se parasen para que yo los pudiera mirar y ver cómo son y les pudiera dar las gracias. Sí, ¡darles las gracias! Yo les dije: «Gracias» a todas las personas que me estaban pitando y les prometí que volvería el año siguiente. ¡Puse una sonrisa de número uno sobre mi rostro y les dije que ellos me habían dado el derecho de volver y que me habían llenado el tanque que dejaría mi motor en marcha!

Luego me dirigí hacia mi esposa. Ahí estaba sentada, con su maquillaje manchado sobre sus mejillas tras haber presenciado este «crimen». Me

dijo que ella estaba avergonzada por esas personas que me habían abucheado. Ella estaba llorando lágrimas de simpatía para mí y lágrimas de enojo por los demás. Yo tomé su mano. Le dije: «June, el día que ellos me dejen de abuchear será el día que ya no seré el número uno. Ellos me han halagado».

*Yo regresé el año siguiente y el siguiente también, y lo mismo ocurrió en cada ocasión. Y cada vez que ocurría, yo tomaba sus malos modales y sus abucheos y los convertía en halagos. Después de ocho años, en los cuales yo seguí siendo el vendedor de autos número uno, el canal de televisión NBC vino al banquete del Legión de Líderes para televisar ese fenómeno para una audiencia nacional. NBC había oído acerca de cómo el vendedor de autos número uno del mundo estaba siendo abucheado por sus compañeros. Las noticias lo habían mencionado en las revistas **Newsweek** y **Automotive News**, y en las agencias de noticias **United Press International** y **Associated Press**. Una vez más ante las cámaras lo mismo volvió a ocurrir en televisión nacional. Yo volví a sonreír y dije: «Gracias. El año que viene, volveré».*

Durante esos años, en la tranquilidad de mi habitación, yo intentaba entender porqué me habían abucheado. ¿Era por envidia? ¿Por celos? ¿Acaso era porque ellos no querían trabajar tanto como yo? Quizás ellos no querían pagar el precio para ser el número uno. Quizás no querían hacer lo que era necesario. En ese momento, yo decidí que si yo quería seguir vendiendo con éxito, tendría que vigilar todas esas cosas—la envidia, los celos y todo tipo de cosa negativa—y sacarlas de mi vida. La envidia, los celos, quedarme conforme con un desempeño que no sea mi mejor, o aceptar que me dé por vencido... yo me iba a deshacer de todas esas cosas. De repente pude entender qué había estado ocurriendo en todos esos banquetes.

Y esto es el remate, ¡es algo increíble! El Sr. Girard dijo que él entendió que aquellos que son segundos y terceros en la vida no están contentos hasta que derriban al número uno hasta su nivel.

En su ensayo, el Sr. Girard luego escribe acerca de la eficacia de su propia vida y cómo tomó una decisión de no permitir a los segundos y terceros, o ni siquiera los cuartos, quintos, octavos, novenos o décimos que dictasen su vida.

¿Y TÚ COMO EJEMPLO?

Ahora, quiero que tú te enfoques en esto. La razón de ser de este libro es ayudarte a salir adelante; ayudarte a mejorar; ayudarte a tener éxito; ayudarte a ser un instrumento mejor para que Dios use tu vida para ayudar y bendecir a otras personas. El propósito de todo esto es ayudarte a convertirte en el profesional completo.

Ahora ya sabes que esto ocurrirá. Cuando tú usas estas técnicas y usas estas ideas y luego las combinas con tu energía, tu enfoque y tu compromiso, empezarás a crear un éxito excepcional. Te encontrarás con los segundos y los terceros y los cuartos y los décimos y los vigésimos y los trigésimos. Te encontrarás con personas que están muy por debajo de ti, que están enojados y resentidos con tu desempeño y tus resultados. Te van a criticar. Te atacarán. Se burlarán de ti. Y harán todo lo que Girard ya ha mencionado. Ellos intentarán derribarte hasta su nivel.

Tú siempre tendrás opciones. Tú puedes sentir lástima de ti mismo. Puedes sentirte pésimo con tus sentimientos de inferioridad y vergüenza y pena. O, puedes pararte y mostrarle a todos qué tipo de hombre o mujer tú realmente eres. Recuerda la frase de Shakespeare acerca de Winston Churchill, que todos estos elementos se juntaron en él, para que todo el mundo pudiera decir: «¡Este era un hombre!» Recuerda por supuesto que Shakespeare no se estaba refiriendo a Churchill, ya que ellos no convivieron en la misma era. Shakespeare estaba hablando de otra persona. Pero sí se puede aplicar a Churchill y también se puede aplicar a ti. Shakespeare dijo: «Su vida fue amable y los elementos que lo constituían se combinaron de tal modo, todos estos ingredientes del éxito, que la naturaleza, irguiéndose, pudiese decir al mundo entero: "Éste era un hombre"».

La razón por la cual digo esto para comenzar es que quiero que tú entiendas que no basta con ser un profesional completo. Tú necesitarás tener un fuego en tu alma. Necesitarás tener algo que te diferenciará de entre las otras personas. Necesitarás tener algo que te distinguirá y te convertirá en un número uno, como dijo Girard, ¡y te dará orgullo de serlo! Tendrás que entender que vas a estar rodeado por segundos y terceros y séptimos y duodécimos y trigésimos y centésimos que están enojados con tú éxito y odian tu desempeño. Y tú jamás puedes permitir que eso te tire hacia abajo.

Winston Churchill vivió toda su vida adulta bajo ataques constantes y severos, pero sin embargo nunca perdió su enfoque en la vida; nunca titubeó; nunca dejó de concentrarse en lo que él consideraba ser las metas principales las cuales el destino le había llamado a cumplir. ¿Tienes tú un destino? ¿No es una palabra un poco rara para el siglo 21? ¿Tienes un destino? ¿Eres sólo una rueda o una tuerca más de una gran máquina? ¿O tienes un destino? Pues, de hecho, tú sí tienes un destino. Tú tienes una razón para vivir. Dios no te creó para fracasar. Y Él tampoco te creó para vivir una vida egoísta, aislada y frustrada. Él te creó para algo mucho mejor que eso.

Así que cuando yo hablo acerca de ser un profesional completo, yo no quiero que te concentres demasiado en las técnicas o la metodología. Pero sí quiero que entiendas que aunque estas técnicas son muy efectivas y sí funcionan, y de hecho, te daré muchas de ellas en los próximos minutos, quiero que sepas que tu propósito es mucho más importante que tus técnicas. Tu razón de ser es mucho más importante que tu metodología. Yo quiero que entiendas que tú puedes unirte a la Legión de Líderes y que puedes formar parte de una compañía pequeña y selecta si estás dispuesto a pagar el precio correcto, de la manera correcta.

Cuando se trata de ser un profesional, y tener un negocio profesional, es obvio que la mayoría de ustedes son dueños de sus propios negocios. Tú eres dueño de tus propios medios de vida y eres dueño de tu propio futuro. Así que ser un profesional completo asume una importancia mayor para ti porque tú eres el ingrediente principal de tu propio éxito. Tú facilitas tu propio éxito así que necesitas asegurarte de que tú siempre te mejoras a ti mismo.

EL GANCHO

Yo quiero darte una manera de ver a los negocios que te preparará para lo que te enseñaré en los próximos minutos. Pues, cada negocio o empresa moderna liderada por un profesional completo debe tener un «gancho». Ahora te explicaré lo que esto realmente significa. Hoy día, existen tantas oportunidades que compiten por la atención de todos. ¿Cómo puedes hacer para salir del montón? ¿Cómo puedes enganchar a las personas con tu concepto empresarial, tu idea de negocios y tu organización? ¿Cómo se hace?

LOS CUATRO ELEMENTOS ESENCIALES DEL GANCHO

Pues, la verdad es que es muy simple. Un gancho tiene cuatro elementos esenciales. ¿Qué significa esto? Déjame explicar algo primero. Yo no me estoy refiriendo a enganchar a las personas de una manera manipuladora, de una manera injusta o que les estás lavando el cerebro. Eso sería deshonesto y no le agradaría a Dios. Sería algo malo. Enganchar simplemente significa agarrar su atención. Un gancho es un término que usan las personas en el mundo de la publicidad y los medios para referirse a la idea o las imágenes que llaman la atención de la gente. Es algo que les hace parar y decir: «Yo quiero más información» o «Yo quiero saber más acerca de esto» o «Esto me puede interesar».

1.- **FELICIDAD** - De hecho, tu negocio en este siglo 21 debe tener un buen gancho. ¿Qué significa esto? La primera parte consiste de la felicidad. Un negocio tiene que ser *feliz*. Debe ser algo que se pueda disfrutar y no puede ser un trabajo penoso y aburrido. A las personas les da asco las situaciones de trabajo que son una amenaza a la vida. No las que son una amenaza contra la vida física, sino las que absorben el alma. Ese tipo de situación que siempre requiere comprometer los principios éticos. Situaciones en las cuales las personas solo trabajan para el sueldo y van perdiendo más de su personalidad con cada día de trabajo que pasa.

Tu negocio nunca puede ser algo así. Tu negocio debe ser un negocio feliz. Y ser feliz simplemente implica que ese negocio les hace bien a las personas;

que es algo divertido; que operarlo es algo agradable. Hay elementos divertidos y llenos de aventura con ese negocio; hay elementos del negocio que crean entusiasmo y generan una atmósfera de diversión. Cuando descubres que no la estás pasando bien, es necesario reexaminar cómo haces las cosas. Es cierto, no todo puede ser divertido en todo momento y existen esas ocasiones en las cuales hace falta hacer cosas difíciles que no siempre son divertidas.

Pero yo estoy hablando del entusiasmo de tu negocio en su totalidad. Debe haber una felicidad que atrae a las personas. Tú tienes que crear una propuesta magnética. Tienes que hacer algo que atraiga a la gente hacia tu negocio. Es por esto que nos referimos al gancho. Un gancho ofrece felicidad.

2.- ORDINARIO - La segunda parte tiene que ver con ser ordinario. No es una mala palabra y tampoco es algo aburrido. *Ordinario* simplemente significa que en este siglo 21, un negocio debe estar disponible para la gente común en todas partes. Es decir, una persona no necesitará un diploma avanzado del Instituto Tecnológico de Massachusetts para hacer negocios contigo. Tú necesitas un negocio que será popular con mucha gente, un negocio que ofrecerá productos, bienes o servicios que estarán disponibles al público general y que ese mismo público deseará tener. No quieres tener algo que es tan raro o poco común que sólo de vez en cuando encontrarás a una persona que siquiera se interesa en él. No. Tú quieres un negocio ordinario. Quieres un negocio que atraerá a cualquiera y que cualquiera será capaz de operarlo con éxito.

Así que no sólo quieres un negocio feliz, sino que también quieres un negocio ordinario, lo que significa que estará disponible al público general.

3.- **Obvio** - La tercera parte significa que tú quieres un negocio que es *obvio*. Con eso, me estoy refiriendo a un negocio que es simple. La gente abandonará a los negocios si son demasiado complicados. Ellos lo dejarán de lado si tarda demasiado para producir resultados... obtener sus productos... u obtener una respuesta. Quizás ya te haya pasado esto en el pasado. Llamas a alguien para ponerte en contacto con los servicios al cliente para pedir ayuda con algo que se te ha roto. Te dejan esperando diez minutos con breves mensajes ingeniosos o diferentes tipos de música. Pero a ti no te agrada. Con cada minuto que pasa, te enojas más y más, porque deseas hablar con un ser humano en vivo que pueda solucionar tu problema. Tú quieres un solucionador técnico que puede involucrarse y resolver tu problema ahora mismo.

Pues, un buen negocio debe ser un negocio de respuesta rápida así. Debe ser un negocio obvio. Debe ser un negocio tan obvio que te permita sentarte con alguien y en menos de una hora, explicarle cómo funciona tu negocio y él o ella lo pueda entender. Esto significa que debes dominarlo así de bien. Esto no significa que tendrás una respuesta para cada pregunta o que cada situación será resuelta. Pero sí significa que la columna vertebral de tu negocio, la estructura básica de tu negocio, debe ser tan fácil de entender que debes ser capaz de explicárselo a una persona común con una educación promedio en menos de una hora… sin que la complejidad te cause demoras.

Así que el negocio del siglo 21, tu negocio, debe

tener un buen gancho que atrae a la gente. Debe ser un negocio feliz. Ellos deben ver de inmediato que tú disfrutas de tu trabajo y que te la pasas bien haciéndolo. No es simplemente un trabajo más y que tu negocio es diferente. Así que es feliz. Además, es ordinario. Cualquiera lo puede hacer. Y tercero, es obvio. Es simple, básico y se le puede explicar a la persona normal con facilidad.

4.- GENIALIDAD - El cuarto elemento del gancho es la genialidad. Tu negocio debe tener un fuerte elemento *genial*. Si tú ves al Internet, ¿cuáles son los sitios que más te atraen? Son los sitios geniales. Son aquellos sitios que al verlos dices: «Vaya, ¡que interesante! ¡Eso es genial!» Esto verdaderamente es una cuestión de estilo. Afortunadamente vivimos en un tiempo en el cual uno puede expresar su creatividad individual muy eficazmente. Ese es el clima de negocios en el cual estamos operando. Así que tú quieres que la gente sepa que este negocio puede ser genial y que puedes viajar por el mundo con tu negocio. Eso es genial. Puedes hacer viajes a lugares hermosos. Eso es genial. Puedes usar productos que te ayudarán a perder peso y mejorar la condición física. Eso es genial. Eso está de moda.

Es cierto que lo que hoy es genial cambia. Lo que está de moda viene y se va. Lo que hoy es popular quizá mañana no lo sea. Pero tú siempre debes intentar presentar tu negocio, con su gancho, de tal manera que la gente quede pensando: «Vaya, que buena idea. Eso sí podría funcionar».

Así que, examina tu presentación y tu enfoque y estudia la manera en que tú presentas tu negocio. Hazte una pequeña prueba ahora mismo. Tú eres el profesional completo. Hazte una prueba. Tú quieres enganchar a la gente con tu negocio. Esto es lo que te debes preguntar a ti mismo. ¿Estás contento cuando haces una presentación? ¿Es alegre tu presentación? ¿Tienes algunos chistes buenos y conocidos? No me refiero a chistes verdes o tontos, sino cosas que ya has probado, que le caen bien a la gente y te gusta contarlos para que agreguen algo de risa a tu presentación. ¿Haces contacto visual al hablar con las personas? ¿Sonríes mientras hablas con ellos?

La idea básica es saber si hay una energía alegre

cuando tú presentas tu idea o concepto de negocios. Quizás tú no tengas una personalidad extrovertida o exuberante. Seré muy honesto contigo. Si no tienes una personalidad extrovertida, esto será más difícil para ti. Estoy siendo muy cándido. Esto no significa que no lo puedes hacer. Yo conozco a muchos dueños de negocios independientes que no tienen personalidades vistosas y han tenido mucho éxito. Ellos han hecho muchísimo dinero y les ha ido muy bien. Dios ha bendecido su compromiso y su acción a pesar de que no tienen personalidades llamativas. Pero si tú no eres por lo menos algo extrovertido, tendrás que aprender a lidiar con eso. Será un poco más difícil para ti. No significa que no es posible, simplemente significa que es un poco más difícil de hacer. Necesitas aprender a sonreír y proyectar una energía alegre. Necesitas aprender a superar tu timidez. Necesitas hacer que tus metas y sueños sean tan grandes que te permitan superar tus limitaciones naturales.

La prueba personal

Así que ponte a la prueba. Cuando enganchas a las personas, hazte la siguiente prueba.

1.- FELICIDAD - ¿Estás contento? ¿Hay una energía feliz? ¿La gente está pensando: «Me gustaría estar con él»? ¿A la gente le agrada la idea de estar contigo? ¿Les agrada la idea de hacer cosas contigo? ¿Existe una alegría y una ligereza con tu presentación?

2.- ORDINARIO - ¿Es tu presentación para personas comunes o ordinarias? ¿Dejas claro que este no es un grupo élite de individuos raros y que ellos sean los únicos que posiblemente podrían hacer este tipo de cosa? Tienes que asegurarte de que tu presentación se lleve a cabo de una manera que deja un sentimiento de ser natural. Una manera buena de hacer esto es dar ejemplos de personas de varios caminos de la vida que han hecho el mismo negocio. Usa un ejemplo de alguien que conoces que es pintor, plomero, vendedor, maestro de escuela, pastor o alguien que simplemente hace cosas que todos conocen. Alguien a quien uno puede mirar y decir: «Ya ves, cualquier persona de cualquier camino de la vida puede aprovechar esta oportunidad».

3.- OBVIO - Fíjate si eres obvio. Debes tomar mucho

cuidado de no complicar las cosas. Winston Churchill tiene fama de haber dicho que uno debe usar lenguaje simple en todo momento. Él es famoso por ser uno de los líderes más elocuentes de toda la historia humana. Él fue uno de los oradores más grandes y sin embargo usaba lenguaje muy simple. Él hablaba de sangre y trabajo y lágrimas y sudor. Él hablaba de luchar en las playas, en valles, en aldeas. Si uno lee sus discursos, verá que él no acostumbraba usar palabras vistosas, complicadas o compuestas. No. Él es muy simple y muy directo. Así que la pregunta es, ¿eres obvio y muy simple en tu presentación? ¿Vas al grano y presentas cómo funciona este negocio y qué puede hacer para ti? Así es como se hace. ¿Estás listo?

4.- Genial - Después debes preguntarte si eres «genial». Algunas personas son más geniales por naturaleza que las otras, eso ya lo sé. No estoy queriendo ponerte una presión indebida y forzada para que seas algo que no eres. Pero por lo menos intenta pensar en algo que es realmente genial de tu negocio. Quizás sea un CD que a ti te gusta.

Quizás sea la manera que puedes ordenar a través del Internet. Quizás sea algo con el sitio web que usas. Piensa de algo que es agradable y recuerda mencionarlo cuando hagas tu presentación oral delante de otras personas. ¿Tienes un buen diálogo? ¿Un buen ritmo durante tu presentación? Hazlo frente a un espejo o delante de tu esposo o esposa y pregúntale si estás presentando de una manera que enganche a las personas. Feliz, ordinario, obvio y genial.

EL NEGOCIO NCC

O tra manera de ver a tu negocio es lo que yo llamo el negocio NCC. Déjame explicar lo que es un negocio NCC. Un negocio NCC significa un negocio de conexión al consumidor y este es el negocio del siglo 21. Si tú quieres ser dueño de tus propias oportunidades y deseas la oportunidad de ganar dinero y ver qué puedes hacer con tus oportunidades, entonces tú necesitas entender la idea de un negocio de conexión al consumidor— un negocio NCC.

Un negocio de conexión al consumidor implica dos cosas:

I.- TÚ CREAS CONEXIONES CONSUMIDORAS CON OTRAS PERSONAS. Tú creas conexiones consumidoras entre ti y los otros consumidores. Tú creas una conexión entre ti mismo y las otras personas que están interesadas en participar en tu negocio y tú haces que tus conexiones con los consumidores se conviertan en relaciones personales.

2.- **Tú creas una conexión entre los consumidores y aquellas cosas que ellos desean o necesitan.** Eso lo creas tú. Para eso te pagan. Tú eres un conector de consumidores. Eso es lo que tú eres. Eso es lo único que tú haces. Tú juntas a las personas con los productos y servicios. Tú eres un facilitador. Tú eres un facilitador económico. Tú eres un conector de consumidores. De eso trabajas.

Tú tomas todos estos servicios y todos estos bienes de todas partes del mundo y conectas a las personas con lo que ellos quieren y con lo que ellos necesitan. Luego tú conectas a personas con otras personas, que les entrenarán y enseñarán. Tú les conectas con personas que producen CDs con información educacional. Tú eres un conector de consumidores. ¡Felicitaciones! Eso es lo que tú eres, conector profesional de consumidores.

La regla de los 250

Cuando tú llegues a conocer lo que en el mundo de los negocios llamamos *«la regla de los 250»*, realmente llegarás a entender lo importante que es ser un conector de consumidores. ¿Recuerdas a Joe Girard, el vendedor de autos más exitoso, que fue primero aplaudido y luego abucheado en la Legión de Líderes y cuya historia ya mencioné? Él escribió otro ensayo, en el cual él examina *«la regla de los 250»*. Escucha bien esto, es fascinante. Recuerda que tú estás en un negocio de conexión a al consumidor. Presta atención a las posibilidades de tu influencia. Quizás tú pienses que no conoces a muchas personas, ¡pero vaya sorpresa que te espera!

Esto es lo que él escribe en uno de sus ensayos acerca de *«la regla de los 250»*. Él dice:

> *Yo siempre he llamado este principio «la regla de los 250». En el pasado, yo sólo advertía acerca de los efectos negativos que esta ley puede tener en las ventas. Ahora, quiero enfatizar los efectos positivos que puede tener sobre tu vida y tu habilidad para vender bien tu imagen. Vivimos en un mundo de causa y efecto. Algo ocurre que causa un efecto en alguna otra cosa o en alguien más. Esto a su vez se convierte en una nueva causa, que producirá sus propios efectos. Causa, efecto. Causa, efecto.*

¿Y quién sabe dónde acabará? Hace varios años, mientras buscaba hacerme una idea de hasta dónde causa y efecto podrían conducir, llegué a la cifra 250. Este número tiene un fundamento en la realidad. Aquellos de ustedes que han leído mi libro Cómo Vender Cualquier Cosa a Cualquier Persona *(How To Sell Anything To Anybody) o quienes me hayan oído mencionar esto en alguna charla, ya sabrán que fue un director de funerales quien primero me dio este momento de inspiración. Volveré a repetir esa anécdota en breve.*

Como vendedor de autos, vendiendo vehículos de un inventario y a veces descubriendo que nos faltaba de algún modelo, color o de algún modelo con ciertas opciones, y de otros nos sobraba, muchas veces me preguntaba ¿por qué nadie parecía saber cuántos vehículos ordenar?, asumiendo que el concesionario los podría conseguir aun cuando fuesen ordenados. Nunca obtuve una respuesta. Le pregunté a un amigo que era director de funerales cómo sabía cuántas de esas pequeñas tarjetas que dicen: «En memoria de» él debía ordenar. Estas tarjetas llevan el nombre del difunto y las fechas

de nacimiento y muerte y son ubicadas cerca del registro de visitas. Él me dijo que su larga experiencia le había enseñado que la cifra mágica era 250. Él dijo que con 250 tarjetas había poca chance de que le faltasen o le sobrasen demasiadas. Es algo muy interesante, Joe. Cada persona, aunque esté muerta, representa a 250 más.

Yo luego le volví a preguntar lo mismo a un amigo mío que trabajaba en una imprenta, quien me dijo lo mismo acerca de las bodas. Sin importar si él tenía que imprimir invitaciones o anuncios para ser enviados después del casamiento, él había descubierto que la orden típica para invitaciones, o anuncios para después de un casamiento secreto o una fuga, era 250. Otra indicación de la validez de este número mágico me llegó cuando di un discurso en Miami, en el cual yo mencioné esta regla de 250. Poco tiempo después en el Hotel Omni, le di una copia de mi libro sobre ventas a un amigo mío llamado Joel Wilson, de Massachussetts. Por supuesto que en el libro, hacía mención de esta regla con cierto detalle. Cuando él acabó de leer mi libro, quedó asombrado. Me dijo:

«Joe, hace poco yo trabajé con otros por varios meses, estudiando asuntos pendientes con la expansión de una sinagoga, de la cual yo soy presidente de la junta. Una de las preguntas principales era ¿qué tan grande debe ser el salón social?. Necesitamos espacio para recepciones, confirmaciones, bar mitzvahs y ese tipo de cosa. Después de haber estudiado bien nuestras necesidades y experiencias en el pasado, decidimos que necesitábamos un espacio para 25 mesas redondas, cada una de ellas para diez personas.» Sus ojos brillaban con entusiasmo. «¿Lo puedes creer, Joe? ¡Era 250!» Sí, lo puedo creer.

¿Alguna vez has observado que cuándo uno entra a un restaurante o bar popular, suele haber un cartel de algún tipo que dice que ese lugar tiene un aforo de 250 personas sentadas? Lo mismo es cierto con respecto a los vestíbulos de muchos cines, en los cuales hay un cartel pequeño que indica que la máxima capacidad es de 250 personas paradas. Yo tengo un amigo que participa mucho en el teatro comunitario y uno de los auditorios locales tiene un aforo de… 250 personas. «La regla de los 250»

es el fundamento detrás del tipo de publicidad más efectiva que existe… la publicidad de boca en boca. Esto es lo que vende boletos de cine; buenos restaurantes; libros; doctores; dentistas. Vende bien a las personas. Te vende bien a ti.

Aquí viene el factor decisivo. Esta es la idea principal detrás de este concepto. Yo podría contarte la historia, pero siento que las palabras del Sr. Girard son tan poderosas que deseo que tú lo oigas desde su propia boca. Escucha esto:

Como vendedor, yo siempre estaba preocupado con acumular un archivo de dueños y un archivo de futuros clientes. Yo creé uno de los archivos más valiosos del país. Si no, ¿cómo iba a hacer para vender más de 1.400 autos en un solo año? Desde entonces, se lo he dado a mi hijo, quien está siguiendo mis pasos. Un día, yo me senté y miré a ese archivo. De repente me di cuenta que cada nombre en ese archivo representaba a otros 250 nombres. ¡Y cada uno de esos 250 representaba 250 más! Y así sucesivamente. Me dejó asombrado. Era imposible determinar el monto total. Primero, yo me concentré en los efectos negativos que esta ley podía tener. La lógica era sólida.

Quizás es porque la mayoría de los vendedores, incluyéndome a mí, queremos creer que los demás casi siempre están hablando mal de nosotros. La gente diría: «Él es sólo un vendedor», o: «¡Ten cuidado con el Sr. Presión-Alta!» El lado negativo de «la regla de los 250» es que si tú cierras una venta con una persona no satisfecha, la reacción en cadena afectará a otras 250 personas. Yo sabía muy bien que tenía que cuidar mis palabras con los clientes. Puede causarte problemas. Si tu trato no es justo y si el cliente piensa que te has aprovechado de él, se lo dirá a otras personas. ¡Uno puede desperdiciar 250 clientes prospectivos si trata mal a un cliente!

Sin embargo, aquí está el lado positivo. Si logras enganchar a una persona y esa persona tiene 250 conocidos, amigos y compañeros de trabajo que también tienen un círculo de 250 a su alrededor... y ellos convencen a la siguiente persona... y ellos también gozan de un círculo de 250... y ellos convencen a la siguiente persona que también tiene un círculo de 250. ¿Ya ves a qué me refiero?

Tú estás en un negocio de conexión al consumidor. No hace falta que te sientas agobiado, pensando que: «¡Necesito alcanzar a mil personas este mes o 20.000 personas este año!» No. Lo único que necesitas hacer es concentrarte en unas cuantas personas a la vez. Lo único que debes hacer es concentrarte en esas personas y *si tú te las ganas, si te conectas con ellas, si tú generas entusiasmo en ellas, si tú les enganchas,* entonces podrás conectarlas con bienes y servicios y entrenamiento y la información que ellos quieren o necesitan, y luego ellos pueden enganchar a alguien más. Y esto lo digo con la implicación positiva de esta palabra. Y tú te multiplicarás a 250… a 250… a 250… a 250. Es realmente increíble cuánta influencia tú puedes tener.

Déjame explicar esto en términos espirituales. Como un cristiano devoto, si yo gano un alma para Jesucristo… si yo gano a ese hombre o a esa mujer para una relación personal con Jesucristo… en la cual él o ella llega a conocer a Cristo en su corazón y le recibe como su Señor y Salvador... y acepta su muerte en la cruz... y cree en su resurrección y llega a tener una relación viviente con Cristo... y luego esa persona toca a otra persona y consigue que tenga esa relación... y luego a otra persona más... y luego a alguien más. Esto se puede multiplicar por todo el mundo. Y no hace falta que uno se concentre en demasiadas personas.

Ahora, yo quiero que esto te sirva de ánimo. Quiero que te veas a ti mismo como un conector. Mírate a ti mismo como una conexión con el consumidor. Tú tienes un negocio de conexión al consumidor. Tú vas a conectar a algunas personas y luego conectarás a algunas más, y luego conectarás a unas cuantas más. Y te las ganarás; las engancharás. Si ellos luego a su vez usan tu ejemplo para ganar y enganchar a otras personas, ellos también verán este tipo de crecimiento exponencial. Es ahí cuando podemos ver a esta regla de publicidad de los 250 obrar poderosamente.

Yo he invertido un tiempo extra en esto y aún me queda mucho por recorrer para enseñarte a ser un profesional completo. Yo estoy echando las bases ahora mismo. ¿Me estás acompañando? No basta con ser un individuo impulsado por buenas técnicas. Necesitas tener información práctica y basada en las buenas técnicas y eso te lo daré en sólo unos pocos minutos. Recuerda, para echar una base sólida, debes resistir a los dos y cuatros y sietes y ochos de tu vida si quieres ser el número uno. Tú quieres ser un verdadero líder como Churchill, no sólo un gerente. Tú quieres ser un profesional completo. Tú quieres tener un negocio con un buen gancho, que será feliz, ordinario, obvio y genial. Y tú quieres ser un conector de consumidores. Tú quieres atraer gente a tu negocio con su razón de ser. Si tú te ves a ti mismo de esta manera, entonces esto será divertido. Debes verte a ti mismo con la razón de ser de conectar, conectar y conectar. Luego, cuando aplicas esta regla de los 250, verás hasta dónde se puede extender tu influencia y cuántas personas pueden estar en tu organización y cuántas conexiones pueden ser creadas por el simple hecho de que tú pusiste todo esto en marcha en la buena dirección.

EL PAQUETE VENDIBLE

Hace poco, yo leí las palabras de un vendedor que resaltaba la importancia de lo que él llamaba «el paquete vendible». El paquete vendible es algo que se puede vender. Él dijo que la gente suele pensar que sus productos o servicios son el paquete vendible. Y eso no es cierto. Ellos mismos son el paquete vendible. Así que tú te debes venderte a ti mismo como un experto de la conexión al consumidor, un profesional de la conexión al consumidor. Eso es lo que tú eres. Tú crearás ganchos para otras personas para que ellos luego puedan hacer lo mismo por otras personas, para que así todos puedan tener negocios exitosos que son felices, ordinarios, obvios y geniales—así la gente se podrá conectar con quién sea necesario para obtener lo que necesitan en el momento adecuado. Tú eres un especialista de la conexión al consumidor.

ACERCA DE LEONES Y ZORROS

Michael Makaby es un escritor que hace muchos años publicó un estudio revolucionario acerca del liderazgo. Él fue uno de los primeros grandes autores nacionales en la historia de los negocios norte americanos en publicar un estudio basado en investigaciones académicas sobre el tema del liderazgo. Muchos otros líderes han utilizado sus estudios.

Hace más de veinte años, Makaby dijo que toda persona que está en el mundo de los negocios, sin excepción, es o un león, o un zorro. ¿Qué quiere decir con eso? Él quiere decir específicamente que si eres un león, tú eres alguien que goza de una gran valentía. Una gran energía. Gran concentración. Mucha fuerza. Y que eres un líder nato. Tú eres un león. Eres alguien que sobrepasa obstáculos, que abres paso entre la jungla de contradicciones, y que tomas a tu presa por la garganta y eres victorioso.

Pero él dijo que aunque tú seas poderoso, valiente y confiado, también existen otras personas que tendrán tanto éxito como tú. Ellos son zorros. Ellos son astutos. Son listos. Son inteligentes y más indirectos. Pero cumplen su trabajo de todas maneras. Él dijo que un león no es algo necesariamente negativo, y tampoco lo es un zorro. Uno puede ser un zorro y ser malo. Uno puede ser un león y ser cruel. Lo que él nos dice es que tú debes diferenciar ahora mismo cuál de esos dos eres. ¿Cuál eres tú? ¿Eres un león? ¿Eres un zorro? Makaby nos escribe diciendo que si tú eres un zorro, no te sientas mal por eso. No significa que tú eres débil. No significa que te han de faltar el respeto. Simplemente significa que tus talentos y tu aptitud y tus habilidades se prestan más hacia una influencia indirecta. Un león anda al aire libre y aplasta todo lo que tenga por delante.

Makaby dice que algunas personas tienen mejor desempeño con la responsabilidad. Él dice:

> *La gente exitosa se divide fácilmente en dos grupos, los leones y los zorros. Los leones son líderes naturales, responsables, poderosos, agresivos, valientes y confiados en los métodos de su grupo. Los zorros son astutos, inteligentes, listos y por lo general sufren más cuando se trata de pensar en grupo, aunque quizás tengan que fingir que respetan al grupo. Y en los niveles más altos, los hombres a veces combinan las virtudes del león y del zorro hasta cierto punto.*

Él luego habla de una lista de presidentes norteamericanos y detalla cuáles eran leones o zorros.

En un rato te explicaré qué tiene que ver esto contigo. Él nos da una lista de los siguientes hombres.

Primero él habla acerca de Franklin D. Roosevelt. Esto es lo que él dice: «Roosevelt era un león con su coraje y su ambición poderosa. Él también era astuto, listo y algo sigiloso con sus planes, todos atributos de un zorro, los cuales lo hicieron un presidente formidable».

Harry S. Truman era un león. A Truman le encantaba aceptar la responsabilidad, como indica su famosa frase: «La responsabilidad es mía» y tuvo el coraje para despedir públicamente al General Douglas MacArthur. Un hombre más tipo zorro hubiera intentado esquivar la confrontación. Después de una vida de servicio en el Congreso, él se sentía cómodo con el dar y recibir de un grupo.

Dwight D. Eisenhower—otro León. Eisenhower era un líder nato. Muy consciente de su responsabilidad y de ninguna manera asustado o pasmado por ella.

John F. Kennedy—un león en pleno desarrollo. Él

sin embargo tenía ciertas características de un zorro, como la astucia, la cautela y el temor a los grupos.

Robert Kennedy fue un hombre con todas las características de un zorro que se convirtió en un león cuando tomó una posición en contra de la guerra de Vietnam y por fin decidió postularse a la presidencia.

Lyndon B. Johnson, un zorro que no logró convertirse en un león. Aunque fue su ambición en la vida convertirse en león, la astucia, la cautela y el deseo de eludir la responsabilidad impidieron que se convirtiese en un león. Sin embargo, fingió ser uno hasta el final.

Richard Nixon—todo un zorro. Nixon ni era capaz de imitar las virtudes de un león.

Gerald Ford—un león. Quizás no fue el mejor león o ni siquiera el más fuerte del montón, pero aun así un león que merece respeto.

Este es su punto principal:

*Los leones son los que naturalmente asumen la responsabilidad. Los zorros intentan obtener éxito sin tomar más responsabilidad de la que sea necesaria. Los leones se mueven directamente. Los zorros de forma indirecta. Los leones asumen una postura. Los zorros adoptan compromisos. Básicamente, la ambición de cada zorro es convertirse en un león. El secreto de cada persona exitosa es **combinar ambas cualidades en las proporciones adecuadas**. Ya seas león o zorro, tarde o temprano tendrás que aceptar responsabilidad si quieres tener éxito. Si naciste león, entonces no es un problema. Tienes hambre de responsabilidad y no le temes. Tu único temor es que no tendrás suficiente; que la tendrás que compartir. Cuando recibes una promoción, tú buscas la máxima autonomía e independencia e intentas agrandar el área en la cual tú eres responsable.*

La mayoría de las personas, sin embargo, evitan la responsabilidad y por lo tanto se limitan a las oportunidades insignificantes, o aceptan una posición nueva e importante limitando su área de responsabilidad y tratan de difundir el proceso

de tomar decisiones con cuántas más personas sea posible. Si tu primera pregunta al recibir una promoción es: «¿A quién me dirijo para que tome la decisión final?» entonces necesitas entrenar para ser un león. Tu objetivo debe ser asumir toda la responsabilidad que puedas manejar y pronto descubrirás cuáles son tus límites cuando entres en conflictos con tus compañeros.

¿Qué nos está diciendo aquí? Algunos de ustedes son leones natos. Algunos de ustedes son zorros natos. Si tú vas a ser un profesional completo, yo creo que esto es básicamente correcto. Tú necesitas un balance proporcional de estas dos cualidades. Antes que todo tú debes ser un león: directo, valiente, agresivo, claro, honesto y sin vueltas. También necesitas un poco de zorro en ti: paciente, dispuesto a tomarte tu tiempo, a trabajar de forma indirecta de vez en cuando, no ser deshonesto o engañoso. No te estoy diciendo que asumas las características negativas o desagradables de un zorro. No seas sigiloso, deshonesto, engañoso o débil. Hay veces cuando una confrontación directa no es lo indicado. Si tú vas a ser un profesional completo, necesitas saber cuándo ser agresivo y cuándo ser cooperativo, cuándo forzar una cuestión y cuándo usar sutileza. Este es el balance entre ser un león y ser un zorro.

EN RESUMEN

Déjame darte un resumen de lo que estoy diciendo aquí antes de explicarte las técnicas y metodologías específicas de cómo ser un profesional completo.

¿Qué he dicho hasta ahora? Empecé con John Maxwell y Winston Churchill, usándolos como ejemplos de las diferencias que existen entre un gerente y un líder. ¿Cuál de esos eres tú? El gerente puede arriesgar menos; el líder por lo general no hace eso y marcha hacia adelante y encabeza. Quizás tú hayas sido dueño de un negocio en el pasado o quizás esta sea tu primera experiencia con esto. Pero si vas a ser un profesional completo, el éxito en los negocios del siglo 21 se encuentra en los negocios con un buen gancho. Felices, ordinarios, obvios y geniales. Eso es parte del paquete completo. Es parte del panorama completo.

Yo también hablé acerca de ser un conector de

consumidores y «*la regla de los 250*». La influencia. Cómo multiplicarte a ti mismo. Cómo ganarte a personas y conectarte con ellas. Recuerda que tu propósito principal es ser un especialista en conectar al consumidor. Alguien que junta a personas con otras personas para que reciban el entrenamiento y la educación para los bienes, los productos y los servicios que ellos necesitan. Luego piensa del paquete vendible. El paquete eres tú. Tú estás vendiéndote a los demás. También has de tener el balance y las proporciones adecuadas de un león y un zorro.

Entonces, ¿qué significa todo esto? Significa que tú necesitas hacer una decisión, aquí mismo y ahora mismo. ¿Vas a elegir ser un líder? ¿Vas a elegir ser como Joe Girard y no permitir que los dos y tres y seis y sietes y doces y quinces te bajen a su nivel? ¿O vas a estar preparado para la oportunidad, la responsabilidad y los desafíos de ser el número uno? ¿O por lo menos algo cerca de eso? ¿Vas a tener la cantidad necesaria de agallas y concentración? ¿Vas a enganchar a las personas con un negocio feliz, obvio, ordinario y genial? ¿Vas a ser un conector de consumidores efectivo? ¿Vas a entender «*la regla de*

250» y la influencia? ¿Vas a ser un paquete vendible tú mismo? ¿Vas a ser capaz de mejorar tus fallas y ser una persona agradable, atractiva y magnética? ¿Vas a ser una persona agradable? Después, ¿vas a tener el balance adecuado de ser un león agresivo, concentrado y asertivo? ¿Vas a ser una persona inteligente, astuta e indirecta cuándo sea necesario? ¿Una persona que evita la confrontación cuándo es necesario? ¿Un zorro cuándo la ocasión lo demande?

¿Has respondido «sí» a estas preguntas? Sí, yo quiero ser un líder. Sí, yo quiero ser el Churchill de mi negocio. Sí, yo quiero saber cómo crear un gancho para los demás. Sí, yo quiero ser un especialista en conectar a los consumidores. Sí, yo quiero ser un paquete vendible. Y sí, yo quiero ser un león y quiero ser un zorro. Si tú has dicho sí, entonces estás listo para lo que yo llamo las 25 claves de ser un verdadero profesional. Hay 25 claves para que tú seas un buen profesional. Son fascinantes. Son tremendas. Son importantes. Son esenciales. Las 25 claves de un verdadero profesional. En el siguiente capítulo empezaré con la primera clave de un verdadero profesional.

EL PROFESIONAL
COMPLETO

Segunda parte:

25 Claves de un

verdadero profesional

INTRODUCCIÓN A LAS CLAVES

Así que, ¿cuáles son las 25 claves de un verdadero profesional? Bueno, lo que hay que recordar es esto: un verdadero profesional es una persona que está en su mejor momento cuando las cosas están en su peor momento. ¿Qué quiere decir eso? Quiere decir que un verdadero profesional sabe ser firme y saber mantenerse concentrado, aun cuando están ocurriendo cosas difíciles y competitivas. Tú eres un hombre o una mujer que es capaz de estar en su mejor momento cuando todo lo demás no podría estar peor. Ser un verdadero profesional significa ser un individuo con disciplina, balance y control propio.

Dicho esto, estas 25 claves tienen que ver con más que sólo la disciplina, la concentración o el compromiso. Tienen que ver con todos los elementos prácticos del profesionalismo. Ahora bien, no quiero que pienses que el profesionalismo significa que perderás tu espontaneidad o tu habilidad para ser flexible, creativo, inventivo o innovador. No. Lo que significa es que tus habilidades profesionales y tu profesionalismo fortalecerán tu habilidad para ser creativo y te darán la estabilidad sobre la cual tú podrás hacer crecer tu innovación, tu creatividad y todas esas formas nuevas de hacer las cosas. Así que no elimina la flexibilidad, sino que te da una base estable sobre la cual puedes operar.

Hace poco yo estaba hablando con mi esposa Amy acerca de una pareja conocida que goza de tremendos talentos. Esta pareja ha tenido éxito asombroso en varias áreas. Ellos son cristianos maravillosos y comprometidos. Son gente que cree en la Biblia y tienen una buena familia. Ellos también tienen un niño excepcional. Al mirarlos, uno pensaría que casi todo en sus vidas está perfecto.

Sin embargo, hace poco Amy estuvo conversando con la esposa de nuestros amigos. La esposa le admitió a Amy que ellos viven con un tumulto interno continuo. Sí, es cierto que están muy ocupados. Sí, son energéticos y hacen muchas cosas a la vez. Sí, están comprometidos con múltiples proyectos llenos de entusiasmo y posibilidades. Pero esta esposa le admitió a Amy que ellos viven su vida al borde de un caos desorganizado. A causa de esto, ellos titubean profesionalmente. A causa de esto, siempre están «poniéndose al día». Siempre están teniendo que solucionar un problema u otro. Ellos siempre están resolviendo cosas que normalmente ya hubieran sido resueltas si tan solo hubieran estado bien organizados y bien preparados.

Así que no menosprecies la importancia de estar bien organizado. Y no subestimes la importancia de ser un verdadero profesional. Cuando me refiero a las 25 claves de un verdadero profesional, por favor recuerda que estos componentes, al ser juntados, te darán estabilidad; solidez; una base fundamental de la cual podrás operar. Te protegerán. Te protegerán de todo el caos y el tumulto que esta pareja le reveló a Amy.

Lo que a mí me impresiona es que Amy le agregó algo espiritual a esto. Yo estoy totalmente de acuerdo con lo que dijo. Ella me dijo:

> *Ron, yo creo que el Diablo ha prevenido que esta pareja logre todo su potencial maravilloso en Dios, porque él ha tenido éxito al mantenerlos tan*

confundidos, tan nerviosos y con tanto estrés por la manera desorganizada y frenética en la que ellos intentan operar.

Así que ser un verdadero profesional significa que tú estás en tu mejor momento cuando todo lo demás está peor que nunca.

Bueno, ¿entonces cómo puedes estar en tu mejor momento? ¿Cómo puedes estar en tu mejor condición con los demás? ¿Cómo puedes estar en tu mejor condición en tu negocio? ¿En tu mejor condición con tus hijos? ¿Sencillamente cómo puedes estar en tu mejor condición?

CLAVE 1:

LAS HABILIDADES DE ENTRADA

Las claves de ser un verdadero profesional comienzan con la primera: las Habilidades de Entrada. Esto tiene que ver con las habilidades simples y básicas que uno debe tener para ganar acceso a la influencia en la vida de otra persona. Es decir, estas habilidades te abren la puerta. Si no las tienes, entonces olvídalo. Pero si tú sí las tienes, por lo menos tendrás una oportunidad continua de hacer algo grande.

¿Cuáles son las habilidades de entrada? Primero veamos a lo que yo considero las básicas. Seguro que estas tú ya las conoces. Ya me has oído mencionarlas antes. Otros también han hablado acerca de esto en otras ocasiones. Las básicas son muy simples.

1.- EL APRETÓN DE MANOS - La básica número uno es el apretón de manos. Yo sé que esto ya lo has oído antes, pero esto es tan crítico. Óyelo otra vez. Tu apretón debe tener tres cualidades específicas:

- No puede ser demasiado fuerte o demasiado firme. No estás compitiendo en un concurso de músculos. No estás ahí para romperle los huesos a la otra persona o para comprobar tu superioridad física. No, tú necesitas un apretón firme sin que sea demasiado firme o fuerte.

- No quieres un apretón que sea demasiado suave. No quieres dar un apretón que exprese debilidad. Mi hijo Jonathan ha trabajado los últimos años para desarrollar un buen apretón y nosotros le recompensamos por esto. Si alguien nos dice, sin que nosotros le preguntemos, que Jonathan les dio un gran saludo de manos, entonces a Jonathan le damos un premio. Ese es un punto de entrada. A uno lo juzgan según su apretón de manos.

- Uno nunca quiere tener una mano sucia, mojada o transpirada. Tu mano debe estar limpia y seca. Quizás puedes estar nervioso o tus manos comienzan a sudar cuando empiezas a saludar a las personas. Lo que debes hacer entonces es, con mucho cuidado, distraer a la otra persona o quizás mirar a otra cosa y muy discretamente y rápidamente limpiar tu mano con tu ropa. Hazlo bien rápido. Una buena pasada probablemente sea suficiente. No puedo enfatizar demasiado lo importante que es esto. Esta es una habilidad de entrada. Si no la tienes... ¡no lo pillas! Tú debes tener esta habilidad básica, como mínimo. Esta es una habilidad fundamental.

2.- UN CONTACTO VISUAL POSITIVO - Similar a esto es la habilidad fundamental de establecer un contacto visual positivo. No quiero decir que estás en un concurso de miradas. ¡No estoy diciendo que debes lanzar miradas asesinas o mirar a alguien a los ojos hasta que hagan lo que tú quieras! ¡Tú no eres un científico loco! A lo que me estoy refiriendo es a un contacto visual bueno, claro, natural y normal. Mira a la otra persona. Otra de las cosas con la que hemos estado trabajando con Jonathan es el contacto visual. Jonathan acostumbraba entusiasmarse mucho y mirar por todas partes cuando él hablaba con uno de nosotros o con otra persona. Así que cuando Jonathan cumplió seis o siete años, Amy y yo comenzamos a enseñarle a siempre mirar a la otra persona cuando uno habla con él o ella. Eso le demuestra respeto y expresa tu confianza en ti mismo. Así que vuelvo a repetir la gran importancia de esto.

He hablado con personas que me han dicho que han estudiado estas habilidades. Han leído libros acerca de estas habilidades. Ellos han oído grabaciones que informan acerca de estas habilidades, como yo estoy haciendo ahora mismo, y sin embargo ellos aún no las practican consistentemente. Se preguntan por qué dan una impresión de tener muy poca confianza. Uno tiene que acertar en este asunto. Estas cosas no son negociables y tú tienes que acertar con ellas en cada ocasión.

3.- LA SONRISA - Habilidades de entrada. Estas son las bases. El apretón de manos. El contacto visual. Y por supuesto, la sonrisa. Yo ya he hablado de esto antes, pero permíteme enfatizarlo otra vez más. ¡Tú siempre debes estar dispuesto a dar una segunda sonrisa! Ya sé que es un juego de palabras de la Biblia en la que dice que vayamos otra milla más. Pero dar esa segunda sonrisa expresa muy bien lo que quiero decir, porque ese es el lenguaje universal. Es muy revelador que hay estudios que muestran con mucha consistencia que una persona que sonríe naturalmente, de forma cálida y consistente y gentil, hace que los demás se sientan mucho más amigables hacia él o ella. Además, es mucho más probable que una persona le compre algo a un individuo que sonríe. Esto es significativo no importa si estás en la política, en ventas o si eres maestro, pastor o madre. Esto se aplica a todos. Una sonrisa amable, consistente y cálida hace que la gente no sólo confíe en ti, sino que confíen en ti aún más de lo normal.

Así que la sonrisa es esencial. Ahora bien, uno puede exagerar una sonrisa, pero la mayoría de las personas no acostumbran exagerarlas. Es más, resulta que la gente no suele sonreír lo suficiente. El jueves pasado, yo trabajé con un empresario y él estaba tan serio y adusto. Cuando por fin traté de apelar a su humor, descubrí que su idea de un buen hombre de negocios es que uno siempre debe mostrar lo «duro» que es. Uno debe mantener su dignidad. Yo le comencé a explicar a este hombre que él no es un dictador o un tirano de mano fuerte. Él es sólo un tipo más. Es cierto, él es un ejecutivo y yo intenté expresarle mi respeto por eso.

Mientras estaba sentado sobre un hermoso sillón verde de cuero y estaba rodeado por todos estos accesorios lujosos en su oficina, él por fin se emocionó y me admitió que su padre era así. Su padre siempre le decía que él tenía que ser serio; él tenía que ser duro; tenía que «¡ganarles con la mirada!» Su padre siempre le dijo que él nunca podía dejar que alguien le viese apurarse por algo; él tenía que asegurarse de que él siempre era el más fuerte; él tenía que ganar cada enfrentamiento.

Me parece muy interesante que su padre se refería a cada situación «relacional» como una confrontación. Así que su hijo había aprendido estas cosas. Yo estaba intentando enseñarle en el poco tiempo que compartimos que las personas logran mucho más con la amabilidad y la calidez.

Ronald Reagan tenía una gran sonrisa. Franklin Delano Roosevelt era famoso por su sonrisa alegre. Jimmy Carter, que de hecho no fue mi presidente favorito, pero por supuesto que Jimmy Carter también tenía una sonrisa ganadora. La gente habla de la sonrisa que tienen las personas como el actor Tom

Cruise. Estos son atributos buenos sobre los cuales uno puede edificar. Vuelvo a repetir lo importante que es tener una sonrisa amable y cálida.

4.- EL PRIMER CONTACTO - La siguiente cosa que tiene que ver con las habilidades de entrada básicas es lo que yo llamo «el primer contacto». Esto significa que tú debes ser el primero en extender tu mano para un saludo. No esperes a la otra persona. Yo sé que según los buenos modales, un hombre no le extiende la mano a una mujer; la mujer le extiende su mano a él. Esa es la manera correcta de hacer eso. Eso yo lo reconozco y estoy de acuerdo. Pero yo me estoy refiriendo a casos entre hombres. Tú debes ser el primero en extender tu mano. Sé el primero en sonreír. Sé el primero en hacer un comentario. Sé el primero en entablar una conversación. Sé el primero en cada momento de una situación. Sé el primero y serás percibido como una persona llena de confianza y serás visto como un líder. Sé el primero.

Así cuando uno habla de las habilidades de entrada, ¿cuáles son las bases simples? El apretón de manos. El contacto visual. Una sonrisa cálida, amable y consistente. Y el primer contacto. Siempre sé el primero en hacer todo. El primero en sonreír; el primero en hablar; el primero en decir: «Hola». Simplemente sé el primero.

5.- **EL TEMPERAMENTO** - Otra cosa que tiene que ver con las habilidades de entrada es el temperamento. Siempre debes esforzarte para parecer a las personas que tú tienes un temperamento equilibrado. Quizás seas una persona emocional. Yo suelo ser más emocional. Así que tú debes controlar eso y mantener un buen balance. O quizás seas una persona muy templada y tranquila. Entonces parecer tener un temperamento equilibrado no será un gran desafío para ti. Pero la mayoría de las personas sí tienen cambios de emoción. Altibajos de emoción. Debes tener mucho cuidado de no expresarte de manera muy seria o brusca o conflictiva.

Ten cuidado de no caer en enojo. Quizás tú pienses que los demás no saben que estás enojado, pero sí lo sabrán. Quizás pienses que la persona con la quien recién hablaste no se dio cuenta que estabas molesto porque lo escondiste bien. Te aseguro que no es así.

Las otras personas casi siempre percibirán las señas; esas señas pequeñas y casi inconscientes que indican que tú estás molesto; que estás enojado; que estás irritado; que estás exasperado. Así que haz todo lo que puedas para eliminar esas emociones de tus interacciones con la gente. Especialmente en el área de los negocios.

Todos tenemos que hacer esto con los niños también. Una vez tuve un día muy apretado y difícil. Mi hijo Jonathan tenía once años. Yo le hablé muy duramente un par de veces. Yo quería que él se apresurara con algo que estaba haciendo. Él lo estaba haciendo bien, pero yo simplemente quería empujarlo y apurarlo un poco. Jonathan sabía que yo me estaba expresando muy duro. Él lo sabía. Yo intenté disimularlo, diciéndole: «Jonathan, sólo estoy apurado. Tú sabes que aquí necesitamos tener un espíritu ganador». Intenté encubrirlo, pero no lo pude hacer. Y el espíritu de Dios me habló a mi corazón. El espíritu de Dios es el Espíritu Santo y yo tenía que obedecer. Así que fui a la cocina y dije: «Jonathan, escucha. Por favor, yo soy tu padre. Perdóname. Lo siento. No tendría que haber hablado así». La gente sabe. Los niños saben.

Tu esposa sabe. Tu esposo sabe. Todos saben. Así que usa tus habilidades de entrada para asegurarte de que estás expresándote de una manera positiva y equilibrada. Esfuérzate mucho para eliminar el enojo, la irritación, la rabia y todas esas cosas que las otras personas pueden percibir en ti que crean una desconexión y no te permiten relacionarte bien con los demás.

Así que las habilidades de entrada consisten en las bases. El apretón de manos. El contacto visual. La sonrisa. El primer contacto social. Siempre ten un temperamento equilibrado y elimina todas esas pequeñas emociones egoístas que están obrando debajo de la superficie y que siempre intentan salir a espantar y causarte problemas.

6.- UN PLAN SIMPLE Y BÁSICO DE ORGANIZACIÓN- Otro elemento de tus habilidades de entrada tiene que ver con tu plan simple y básico de organización. Lo que quiero decir es que hay ciertas cosas que son tan simples. Si alguien te llama, devuelve la llamada... *rápido*. Si alguien te envía un correo electrónico, contéstale... *rápido*. Si escribes un cheque, asegúrate de que no sea devuelto por falta de dinero. ¿Ves a qué me refiero? Si tú prometes estar en una reunión, ve a esa reunión y sé puntual. Si vas a llegar tarde, llama a alguien y avísale que así será. Avísale que vas a llegar tarde.

Es decir, haz las cosas simples y cortés. Estas son habilidades de entrada. Estas son habilidades que te abren la puerta. Estas son las que te hacen cruzar el umbral con cualquier persona. La gente suele ser extremadamente sensible con el tema de la fiabilidad y confiabilidad. Estas son habilidades de entrada *críticas* y *esenciales*. Así que estas son las más básicas; abordar todo con un temperamento equilibrado y una organización básica.

Ahora quiero hablar acerca de la segunda clave para ser un verdadero profesional. Recuerda que la primera es dominar las habilidades de entrada. La primera clave de ser un profesional verdadero y efectivo en tu vida… y en tu negocio… es dominar tus habilidades de entrada.

CLAVE 2:

EL BUEN ASEO PERSONAL

L a número dos quizás te sorprenda, pero es igual de importante. El buen aseo personal. Sí, buen aseo personal. Algunos de ustedes lucen muy guapos. No les hace falta nada en esta área y no necesitan ningún tipo de ayuda. Pero quizás sea necesario enseñarle esto a alguien más, así que no ignores esta parte. Escucha lo que te voy a decir. Y tal vez algunos de ustedes no saben dónde están con respecto a este tema.

Hace poco, yo me encontré con un libro interesante titulado CLASS ACTS (Personas Elegantes), escrito por una mujer llamada Mary Mitchell. Te daré sus credenciales. Ella es presidenta de The Mitchell Organization, una empresa de asesoramiento en Filadelfia que ofrece entrenamiento personalizado en etiqueta personal y de negocios, habilidades de comunicación y negociación, y servicios al cliente. Su biografía dice que ellos tienen más de 50 corporaciones grandes entre sus clientes, incluyendo a muchas empresas multinacionales destacadas. Las industrias legales, de hospitalidad y de contabilidad han sido beneficiadas por su trabajo. Ella ha escrito varios otros libros, incluyendo—y me encanta este título—THE COMPLETE IDIOT'S GUIDE TO BUSINESS ETIQUETTE (La guía completa para tontos de la etiqueta de negocios).

Esto es lo que ella nos cuenta acerca de ser una persona «elegante». Esto es importante. Escribió:

> *El gerente ejecutivo de una gran compañía internacional me dijo: «Ella simplemente no es una persona elegante. Pero estamos dispuestos a invertir en ella no solo en su beneficio como persona, sino también en beneficio de la compañía. ¿No puedes hacer algo? ¿No le puedes enseñar a comportarse mejor? ¿Puedes enseñarle a manejarse mejor dentro y fuera de la oficina?»*

Esa misma llamada telefónica me encaminó en mi carrera como entrenadora privada. A primera vista, mi trabajo era enseñarles las reglas de etiqueta a individuos. Pero para mí, la etiqueta no puede existir en un vacío. La etiqueta deriva su autoridad de principios importantes y fundamentales. El respeto hacia nosotros mismos y el respeto hacia cada otro ser humano. Los buenos modales nacen en el interior. Ellos reflejan los principios del respeto propio y el respeto por los demás. Ellos nos brindan confianza.

La etiqueta, por otro lado, viene de afuera. La etiqueta simplemente está compuesta de varias reglas prácticas que guían nuestro comportamiento hacia los demás. Saber cómo debemos comportarnos nos hace sentir más confiados y seguros. Saber las reglas y vivir según ellas nos permite concentrarnos en lo que tenemos por delante con mucha más eficacia.

Quiero leerte un poco más de esto, con tu permiso. Escucha lo que ella nos relata, porque esto es algo muy importante.

Mi vida ha sido interrumpida repetidas veces por unos desafíos enormes y unas lecciones muy dolorosas. El simple acto de sobrevivir requirió cantidades iguales de fe y una disposición a crecer y explorar mi desarrollo personal. Mi alma tuvo

muchas noches oscuras. Sin embargo, estas mismas también fueron regalos, porque me llevaron adonde estoy ahora.

Mary Mitchell luego nos dice, y estoy parafraseando, que los buenos modales crean buenas relaciones y las buenas relaciones crean buenos negocios. No es al revés.

Ahora, cuando se trata de apariencias, esto es lo que ella enseña en sus seminarios. Quiero compartir contigo su filosofía acerca de las apariencias. Es algo muy pero muy interesante. Ella comienza citando una carta escrita por la reina Elizabeth II a su hijo, el Príncipe de Gales. Ella escribió diciendo: «La vestimenta le otorga a uno una señal externa de la cual otras personas pueden juzgar el estado de ánimo interno. Una la pueden ver, el otro no».

Mary Mitchell nos dice esto para volver a enfatizar la importancia de una apariencia correcta. Estamos hablando de una buena higiene personal, así que presta atención a lo que ella nos dice.

Las apariencias son importantes. Nuestra apariencia influencia la manera en que los demás nos tratan, nos respetan y nos valoran. Lo primero que debes saber es que no hay tal cosa como ropa neutral. Cualquier cosa que vistas expresará algo sea cual sea tu intención. Un cliente me hizo llegar muy bien esta lección. Esto es lo que ocurrió. Un cliente me dijo: «Oye, Mary, tienes que entender que cuando te contratamos a ti, también te pagamos por tu presentación». Mi cliente dijo, cuando yo expresé mi sorpresa: «Sin falta, por lo menos uno de mis compañeros mencionó tus zapatos por nombre, cada vez que hiciste un programa de entrenamiento para nosotros». Yo había estado haciendo un programa extenso de entrenamiento para una compañía multinacional, trabajando con un grupo de gerentes nuevos cada semana por tres meses. A poco tiempo antes de que comenzara el programa, yo había tenido una cirugía en mi pie. Los únicos zapatos que podía calzar eran zapatillas de correr o un par de zapatos de tacón bajo marca Ferragamo. Estos eran zapatos con un moño y la marca escrita sobre la punta. Iban totalmente en contra de mi credo de no vestir marcas. Pero dadas las circunstancias, eran mejor que un par de Nikes.

Ella nos cuenta un poco más.

*Todo lo que tú te pongas representa una decisión que tú has tomado y es un reflejo de tu buen gusto, tu buen juicio y tu estilo. Cuando te vean por primera vez, las personas reaccionarán **al instante** a la manera que tú estás vestido, sea de manera consciente o inconsciente. En términos sociales, las personas pueden formar una opinión instantánea acerca de tu estatus económico o si tú eres una persona interesante o amable para conocer. En términos profesionales, su reacción puede ser aún más severa y sentenciosa. Si tu vestimenta no es apropiada, tus compañeros dudarán si conoces bien las reglas del juego y si tú eres capaz o no de ser un jugador significante. Tus superiores pueden deducir que la calidad de tu trabajo quizás iguale la calidad de tu apariencia. Un socio importante de compañía de abogados de un cliente mío me dijo: «La gente aquí suele trabajar mejor cuando se visten mejor». Eso nunca me lo olvidé.*

Esta es la filosofía interesante de ella que quiero que tú entiendas. Yo te podría informar sobre todo esto en base a todas sus investigaciones y estudios, pero te leeré lo que ella dice. Estoy de acuerdo con sus palabras. Ella sigue diciendo:

En vez de decirte qué vestir en términos de lo correcto y lo incorrecto, yo creo que uno debe vestirse según la ocasión. Así que cuando tú estés preguntándote cómo vestirte para dejar la más positiva impresión posible, hazte estas tres preguntas. 1.- ¿Quién soy y cómo quiero ser percibido? 2.- ¿Dónde estoy y quiénes son las personas a quien quiero impresionar favorablemente? 3.- ¿Mi apariencia les demuestra a las personas con quien me estoy asociando el respeto que se merecen?

Mary Mitchell nos cuenta más.

Tu vestimenta habla tanto acerca de los demás como lo hace de ti. Recuerda, si tú no sabes qué ponerte para una ocasión de negocios o un evento social, llama al anfitrión y averigua en vez de adivinar y correr un riesgo. Al vestirte correctamente, tú honras a los demás y al mismo tiempo también invitas respeto.

Ella luego habla acerca de cómo queda la ropa. Ella dice que un sastre le dijo que los hombres sólo se preocupan de sus mangas, mientras que las mujeres sólo de su bastilla. Pero existen muchas áreas más. Ella dice que cada artículo de ropa debe quedar bien.

Si tú hablas con un sastre profesional, esto es lo que él te dirá. Un sastre toma en cuenta ciertas áreas específicas de la ropa. Un sastre profesional mira a los hombros, el pecho, el cuello, las solapas, los agujeros para los brazos, las mangas, los pantalones, la falda. Un sastre entiende que es crítico que la ropa quede bien entallada.

Recuerda, cuando tú eliges qué vestir, hay muchas cosas que debes recordar. Pero recuerda esto. Tú vas a controlar la primera impresión principalmente con tu apariencia física.

En un manual de ventas muy popular para los vendedores exitosos, ellos les proveen ocho reglas del aseo personal que deben seguir.

OCHO REGLAS SIMPLES DEL ASEO PERSONAL A SEGUIR.

I.- ASEGÚRATE DE DUCHAR O BAÑARTE CADA DÍA.

Esta es tan básica que casi me da vergüenza mencionarla. ¡Espero que eso ya lo sepas! Bueno. Un baño o una ducha diaria.

Justo hoy vi un anuncio de desodorante, de un hombre participando en un torneo de golf. Él casi mete un golpe corto. La pelota casi entra en el hoyo. ¡Él está tan entusiasmado que alza sus brazos en señal de victoria! Todos los demás se desmayan. Aparece un subtítulo que dice: «¿Usaste el desodorante correcto hoy?» Es obvio que es un tanto exagerado para ser chistoso y para fines de propaganda. Pero de estas ocho reglas, esta es una buena para comenzar... ducharse o bañarse diariamente.

2.- SIEMPRE TENER EL CABELLO LIMPIO Y PROLIJO.

¿Qué quiere decir con cabello prolijo? Quiere decir que el cabello... ¡luce organizado! Tu cabello está en su lugar. No está hablando de lo largo del pelo. Es un comentario acerca de la apariencia. ¿Estás dando la impresión de que eres un profesional organizado? Eso no significa que cada pelo tiene que estar moldeado y sujetado con laca para que parezca un casco. Si a ti te gusta un estilo de cabello suelto, perfecto. Asegúrate de que esté prolijo. Que parezca algo deliberado. Que parezca «a propósito» y no un accidente.

Así que el cabello debe estar limpio y prolijo. Lo de limpio se explica por sí mismo, aunque el manual sí hace mención de la caspa como algo que uno debe vigilar normalmente. Yo sé que la caspa es un problema del cuero cabelludo. No significa que tú no estás limpio. Pero la gente suele ver la caspa como una señal de falta de limpieza. Yo sé que eso no es necesariamente cierto en términos médicos. Pero con frecuencia así la gente ve la caspa. Esa es su percepción.

3.- Usa maquillaje con moderación. (Para las mujeres.) Usa maquillaje en moderación y así evitarás parecerte a una chica de cabaret, porque tu objetivo es dejar una impresión profesional. Usa el maquillaje en moderación.

4.- Rasurarse todas las veces que sea necesario.

(Para los hombres.) Uno no debe tener barba creciendo durante el transcurso del día. Quizás sea necesario guardar una afeitadora eléctrica portátil en tu maletín, tu vehículo o en el escritorio de tu oficina. Asegúrate de que tu rostro luce bien rasurado. Quizás tengas bigote o patillas o una barba prolija. Si es así, no hay problema. Sólo asegúrate de que quede bien con las personas con las que tú deseas relacionarte. Asegúrate de que nunca te cause problemas con aquellas personas cuyos negocios tú quieres ganar. Si te causa problemas, entonces tu cabello facial no vale la pena. Si te rasuras, asegúrate de rasurarte bien y con suficiente frecuencia como para tener una apariencia bien afeitada cuando tengas interacciones profesionales o sociales con alguien.

5.- MANTÉN TUS UÑAS CORTAS Y PROLIJAS. En ciertos puntos de mi vida, yo he tenido problemas con morderme las uñas de los dedos. Este ha sido un hábito malo que he tenido varias veces. Creo que a veces está relacionado a la intensidad con la cual yo hago las cosas. Yo a veces me meto una uña entre los dientes sin pensar, o trato de rebajar una irregularidad y la comienzo a morder. Eso nunca funciona. Esto nunca luce bien. Es un hábito malo, así que deshazte de él. Así que este es el número cinco. Mantén tus uñas cortas, limpias y prolijas.

6.- **HAZTE LA MANICURA EN LOS DEDOS CON REGULARIDAD.** ¿No es lo mismo que mantener las uñas cortas y prolijas? No necesariamente. Con una manicura, uno trabaja con las cutículas y también mejora la apariencia de sus uñas con una lima de uñas. Los hombres también lo pueden hacer. Recuerda que las personas siempre están observando cosas pequeñas acerca de ti aunque tú no pienses que lo están haciendo. La gente percibe pequeños detalles acerca de ti cada vez que están contigo. Tú ni siquiera te das cuenta, pero así es.

7.- **CUIDA TU PESO.** Según ese manual de ventas, uno debe vigilar bien su peso. Michael Korda es un exitoso editor jefe de libros, un escritor, un autor, y un investigador de todo lo relacionado con el éxito. Quiero compartir algo de lo que él dice. Él ha trabajado en el mundo de empresas grandes y de alta presión y ha descubierto que lo que sigue es muy cierto. Él dice que de hecho existe una conexión definida entre el tamaño de tu cintura y tu éxito. Él dice que mientras más delgado eres, mejor es la percepción que la gente tiene de ti.

¡No quiero que te sientas culpable acerca de esto y no quiero que te enojes conmigo! Yo simplemente te estoy dando algo que posiblemente te dará una ventaja profesional con otras personas. Quizás tú simplemente tienes huesos grandes o un cuerpo grande y Dios te hizo así. Si Dios te hizo así, pues amén. Es algo maravilloso. Sácale el mejor provecho. Pero por lo menos intenta mantener una figura delgada para tu tamaño. Por lo menos trata de ser proporcional a tu tamaño. Yo mismo he bajado de peso este año y no fue para nada fácil. Nunca resulta fácil, especialmente cuando a uno le gusta comer como a mí. ¡Y a mí sí me encanta comer! Mis abuelos fueron propietarios de un restaurante por 30 años. Yo aprendí a comer y disfrutarlo desde una edad joven. Así que yo sé que es una lucha constante. Pero intenta ser lo más delgado posible.

8.- LA BUENA POSTURA. Eso significa tu porte. La manera en que tú caminas. La manera en que te sientas en una silla. Tú nunca debes desplomarte o encorvarte. Nunca debes caminar con tus hombros encorvados y tu cabeza caída hacia adelante. Uno simplemente no lo debe hacer. Haz todo como si hubiese un hilo escondido que constantemente estuviese enderezando tu columna vertebral. Ese hilo siempre está enderezándote. Tu cuello está bien extendido, tus ojos bien abiertos y confiados y tú vas moviendo tus brazos y te luces bien. Luces como un ganador. Así que, si no confías en tu propio juicio acerca de esto, pídele a tu esposa o esposo que evalúe tu postura honestamente. Tú necesitas permitirle hacerlo con honestidad. No te enojes. Déjale que sea honesto contigo, o si no, nunca crecerás. Déjale que te diga honestamente cómo luces, porque eso es algo que tú necesitas saber.

Cuando se trata de un buen aseo personal, recuerda que todo esto tiene que ver con sacar el máximo provecho del cuerpo que Dios te ha dado. Una vez más, ¿cuáles son esas ocho reglas?

Báñate o dúchate una vez al día; mantén el cabello limpio y prolijo, organizado y que no parezca accidental; usar poco maquillaje; rasurarse cuando sea necesario; mantener las uñas cortas, limpias y prolijas; hacer una manicura regular de las uñas; ser lo más delgado posible; y tener una postura buena, confiada y positiva.

CLAVE 3:

MAXIMIZAR TU VESTIMENTA

L a tercera clave en la lista de 25 es maximizar tu vestimenta. Recuerda los tres principios básicos y simples de la ropa.

I.- LA MODA ES FUGAZ - Así que no hace falta que siempre tengas las cosas más modernas. No siempre necesitas tener lo que más está de moda en ese momento. Sin embargo, si tú estás intentando conectarte con un grupo de personas en particular y ellos se visten de esa manera, quizás haya ocasiones en las cuales te puedes vestir con ciertas cosas que estén más de moda en ese momento. Pero no te hagas esclavo de la moda, porque recuerda que el mundo de la moda quiere que tú siempre estés comprando ropa nueva. Es por eso que ellos crean locuras por las modas. Es por eso que ellos usan publicidades y quieren que personajes famosos usen sus estilos, para que tú abandones lo que compraste el año pasado y compres algo nuevo este año. Yo no te estoy diciendo que seas ignorante acerca de la moda y no te estoy diciendo que no te pongas al día. También es posible vestirse muy fuera de moda y con ropa muy desfasada, y esto también te puede ocasionar problemas. Uno no debe ser esclavo de las modas del momento, porque la moda es algo fugaz. Esa es la primera regla que debes recordar acerca de la ropa.

2.- QUE LA ROPA QUEDE BIEN - Aun si no tienes ropa cara, asegúrate de que lo que sí tienes te quede bien. No hay nada que dañe más la imagen de un hombre que un traje que no entalla bien. Créeme cuando te digo esto. ¿Alguna vez has visto a un hombre con pantalones enormes y demasiado holgados en el trasero? Si es así la ropa tuya, entonces un buen sastre te puede ayudar a hacer alteraciones. Esto te puede ayudar a lucir un tanto mejor. Recuerda la prioridad de ropa bien entallada. No hay nada más importante que el que la ropa te quede bien y te favorezca.

3.- ENTENDER EL PROPÓSITO DE LOS ACCESORIOS. Hebillas de cinturón, relojes, anillos, aros. Los accesorios existen para mejorar tu imagen global, no para atraer atención exagerada a sí mismos. ¡Ellos no están para hacer que la gente se sobrecoja y se pregunte dónde conseguiste esa hebilla de cinturón tan fenomenal! *Todo* lo que te pongas debe encajar con la imagen global que tú quieres proyectar. Si tú quieres proyectar la imagen de ser un gran vaquero, eso no lo voy a criticar. Pero tú no quieres que la gente les preste atención a tus accesorios en vez de a ti. Así que asegúrate de que los accesorios estén organizados de tal manera que sirvan para mejorar y apoyar a la persona que eres y a la imagen profesional que tú deseas proyectar.

La semana pasada, yo estaba leyendo un manual de ventas y buscando algo de información que apoyase lo que te estoy diciendo. Yo descubrí ocho reglas acerca de la ropa para los vendedores profesionales y exitosos. Estas ocho reglas son muy buenas y hasta el mismo Joe Girard se refirió a ellas en uno de sus libros. ¿Recuerdas al vendedor de autos que mencioné antes durante el inicio de este seminario?

LAS OCHO REGLAS DE LA ROPA

Estas ocho reglas de la ropa que te daré son para los vendedores de éxito:

1.- Compra lo mejor que esté a tu alcance en ese momento. Presta atención a que dice: lo mejor que esté a tu alcance. No acumules grandes deudas por estas cosas. Uno no debe hacerse estúpido o dejarse llevar por su ego para impresionar excesivamente a alguien que conoce. Sin embargo, tú debes comprar lo mejor que esté a tu alcance. ¿Por qué? Porque quizás no pienses que un material mejor o un tejido mejor o una costura superior marque una diferencia, pero así lo es. Siempre ve mejorando un poquito a la vez. Cada vez que compres algo, compra lo mejor que esté a tu alcance en ese momento. Si no puedes comprar mucho, entonces compra lo que puedas. Cuando tú compres lo mejor, la calidad será evidente. Ese artículo de ropa probablemente durará más y la gente notará la diferencia. Así que compra lo mejor que esté a tu alcance en el momento de hacer la compra.

2.- Siempre intenta apuntar hacia un vestuario completo. Si tú compras una camisa y luego buscas una corbata, trata de completar el conjunto a medida que avanzas. Si te compras un saco y necesitas un par de pantalones o una falda, si es posible, trata de combinarlos con el saco cuando lo compras.

Un vestuario completo siempre lleva otra idea asociada. Un vestuario completo es la filosofía básica de que uno necesita tener un conjunto completo cuando uno sale. Si vas a vestirte de forma casual, tus pantalones quedarán bien con una camisa de golf o una camisa de seda. Los materiales y los colores deben quedar bien juntos. Tú siempre debes tener un estilo íntegro y completo con lo que vistes.

¿Quieres escuchar algo realmente tonto? Mi padre me carga acerca de esto hasta el día de hoy. Una de mis decisiones más vergonzosas tiene que ver con mi boda con mi esposa Amy. Nos casamos en la capilla de la escuela de posgrado en la cual yo era estudiante, y cerca de la universidad donde Amy asistía en Kentucky. Si tú miras la foto de casamiento de Ron y Amy Ball, verás que Amy recién había cumplido 21 años y ella tenía un hermoso vestido blanco. Y después está Ron parado al lado de ella. Yo tengo mi cabello hasta los hombros y unas patillas enormes que llegaban hasta mi mentón y unos anteojos de abuelo. ¡El auténtico estilo de los años setenta! Tengo puesto un esmoquin de cola color negro y gris. ¡El esmoquin se ve verdaderamente fantástico! Pero si bajas la vista hacia la parte baja de la foto, te sorprenderás con lo que verás. Porque Ron lleva puesto un viejo par de zapatos marrones. Eran unos zapatos viejos de punta que yo usaba para hablar en iglesias. ¡Qué error tan evidente! Hasta el día de hoy, mi padre sigue diciendo que no puede creer que yo hice eso. Fue hace más de treinta años y él aún no puede creer lo que hice. Cuando yo veo esa foto, trato de no mirar a mis pies. Creó un aspecto incompleto para la ocasión.

Eso es lo que hace la idea o la filosofía de tener un vestuario completo. Los vestuarios completos tienen que ver con la coordinación de colores y también de materiales. Las telas deben ser compatibles. Ellas deben combinar bien. Así que compra lo mejor que esté a tu alcance; trata de crear un vestuario completo; y combina la ropa y accesorios para crear una imagen y un conjunto completo.

3.- La tercera regla es vestirse para la ocasión.

Eso es el concepto de Mary Mitchell de lo que es apropiado. Vestirse para la ocasión. Viste lo que sea apropiado. No te pongas un esmoquin para ir a una barbacoa. No te pongas pantalones cortos para asistir a una boda. Siempre usa lo apropiado.

Hoy en día, la vida es cada vez más informal, especialmente en los Estados Unidos. Si uno va a Europa y sale a cenar con gente de negocios, ellos siempre irán vestidos de saco... anticípalo, que así será. En Francia o Alemania, y especialmente en Japón, anticípalo, que así será. Así que sé consciente de esto antes de relacionarte de forma internacional con alguien con quien tú deseas tener negocios. Por lo general, siempre te ayudará vestirte un 10% mejor que lo apropiado para cualquier situación en general. Pero no demasiado más. No lo exageres a tal punto que avergüences a los demás. Siempre vístete de forma apropiada. Un 10% mejor que los demás. Sólo un poco mejor que el resto de las personas en ese grupo o en esa ocasión. Así que vístete según la ocasión.

4.- **CUELGA BIEN TU ROPA DESPUÉS DE HABERLA USADO.** Si no la vas a usar, cuélgala bien. Quizás tú estés diciendo: «Ron, ¡por el amor de Dios! ¿Qué tiene que ver eso?» Es porque con el tiempo, eso afectará cómo te quedará la ropa. Recuerda la importancia de ropa que te queda bien. Eso es lo que decide si te ves bien o no. Escucha. Tú no te estás mirando la espalda, pero la otra gente sí. Tú no te estás mirando los hombros, pero los demás sí. Tú no te estás mirando las mangas, pero los demás sí. Tú no te estás mirando el cuello y los puños, pero los demás sí. Así que cuelga bien tu ropa. Con un poco de cuidado puedes preservar mejor la forma en que te queda la ropa. Cuelga bien tu ropa. A veces uno ve a un tipo con pantalones marcados con esas pequeñas líneas que le deja una percha de metal. Tú no quieres que eso te pase a ti. Tú eres un profesional.

5.- **MANDA TU ROPA A LA TINTORERÍA A LIMPIARLA Y PLANCHARLA REGULARMENTE.** Algunos dicen que ciertas prendas pueden sufrir al ser limpiadas de forma exagerada, especialmente los sacos, y esto es cierto. Si uno los limpia en seco con productos químicos, lo puede llevar a un extremo. La mayoría de los hombres no saben esto: existen cepillos disponibles para la ropa de lana que la hacen lucir mucho mejor. Con estos cepillos se puede quitar el polvo cotidiano de un traje, que sí afecta su apariencia. Planchar ya es algo completamente diferente. La ropa planchada siempre debe lucir limpia y recién planchada, especialmente las camisas.

6.- **Sólo usa accesorios que complementan tu apariencia en general y no atraen atención a sí mismos.** Esa es una de las reglas acerca de los accesorios que ya mencioné antes. Usa accesorios que complementan tu apariencia y no atraen atención a sí mismos. Básicamente, aquí debes usar un poco de inteligencia y sentido común.

7.- **Combina tus zapatos con tu ropa.** Ya te he contado mi cuento de terror acerca de mis zapatos.

Combina tus zapatos con tu ropa. Asegúrate de que la combinación de tus zapatos con cualquier conjunto que llevas puesto en particular... tenga sentido. Esa es la clave. Lo que uno siempre debe evitar como profesional es sacudir a otra persona. Tú nunca quieres crear una discontinuidad entre quién eres y cómo te ves, así que siempre combina tus zapatos con tu ropa.

8.- TOMA CUIDADO DE TUS ZAPATOS. Por supuesto que deben estar lustrados. De eso te puedes encargar tú mismo. También debes recordar lustrar no sólo la parte superior de tus zapatos, sino también las suelas. ¿Porque qué verá la gente cuando tú te cruces de piernas? Así es. Ellos van a ver las suelas de tus zapatos.

Yo asisto a la iglesia. Yo alabo a Dios y creo que la Biblia es la palabra infalible de Dios. Soy un cristiano evangélico comprometido, que cree en la Biblia y comparte convicciones conservativas. ¡Yo he visto a muchos pastores, líderes de alabanza y otros ministros en iglesias vistiendo zapatos con suelas sin lustrar! Están bien vestidos. Se ven muy guapos. Pero luego cruzan sus piernas y las suelas de sus zapatos lucen horribles. Este es un detalle pequeño que me enseñó hace muchos años mi amigo Charles Stanley, pastor de la First Baptist Church en Atlanta. Siendo un pastor joven, yo aprendí del Dr. Stanley cómo los cristianos pueden dejar la mejor impresión como representantes del Señor Jesucristo. Así que él me enseñó a lustrar la suela de mis zapatos. De vez en cuando, yo estaré muy ocupado o en pleno viaje y no lo haré con tanta frecuencia. Pero sí es un detalle especial y la gente lo percibirá.

Cuando se trata del calzado, también es importante inspeccionar el tacón de tus zapatos con regularidad. Hace poco, yo estaba en Beverly Hills con un amigo mío que es productor de televisión. Él me llevó a mí y a Amy a un hermoso restaurante italiano en Hollywood y se nos hizo difícil entrar. Era un viernes por la noche en Beverly Hills. Este hombre le dio un poco de dinero al portero y así nos dejaron entrar al restaurante. Lo que fue interesante es que al entrar, el mesero principal de este restaurante exclusivo nos miró los zapatos, de forma muy casual pero también obvia. Una vez sentados, yo le pregunté a mi amigo productor acerca de eso. Él me dijo: «Todos lo hacen. Todos te miran los zapatos, porque todos saben que es una manera de averiguar por lo menos un poquito de quién verdaderamente eres».

No te quiero decir que tus zapatos deben ser de los más caros. No me estoy refiriendo a esto necesariamente. Sin embargo, sí deben lucir bien y combinar bien con tu ropa.

LA IMPORTANCIA DE LA ROPA

En mi libro WORRY NO MORE, SUCCESS PRINCIPLES FOR CHILDREN (Deja de preocuparse, principios de éxito para los niños), hay una historia fascinante. Este libro ha sido un gran éxito y si quieres una copia, la puedes conseguir en Shop.RonBallToday. org. WORRY NO MORE te enseña grandes principios para el éxito de tus hijos, desde los años preescolares hasta la universidad y los veinte años. Simplemente es un buen libro. En ese libro, tengo una historia interesante acerca de mi viaje a Londres. A mí me encanta la ciudad de Londres. Es mi cuidad favorita en todo el mundo. Yo podría vivir allí. Yo hablé acerca de mi visita al Museo del Teatro. En mi opinión, los teatros de Londres son los mejores del planeta, especialmente los que están ubicados en el barrio West End de Londres. Es un lugar extraordinario. Broadway es maravilloso, pero en mi opinión, Londres probablemente sea mejor.

Este museo del teatro tiene muchos accesorios y exposiciones históricas relacionados con el teatro en vivo. Tiene muchas cosas de «My Fair Lady», «Mary Poppins», «The Phantom of the Opera» y muchas otras obras. Cuando yo estaba ahí, conocí a una señora que había completado un fascinante proyecto de investigación en conjunto con el teatro. Esto es lo que hizo. Ella estaba preocupada por algunos de los niños en la calle que no parecían tener rumbo. Ellos usaban ropa demasiado grande y algunos tenían un estilo muy gótico. Usaban el maquillaje negro y tenían muchos piercings.

Ella me dijo:

Yo decidí hacer un experimento. Así que salí a las calles de Londres un día y reuní a varios muchachos y muchachas. Yo les dije que íbamos a hacer un proyecto de teatro y que era todo gratis. «Les daremos un almuerzo cada día y ¿les gustaría participar?» Ellos, con pocas ganas, dijeron: «Ah sí, sí». Ya sabes a qué me refiero.

Luego dijo:

Yo a propósito les dije que eran justo lo que necesitábamos y que ellos iban a tener que llevar disfraces para ciertas escenas del teatro. Les dije que estaríamos usando muchas obras de Shakespeare. Un muchacho joven tenía una actitud terrible. Él se fumaba cigarrillos, uno tras otro; tenía quizás 15 ó 16 años de edad; y llevaba cadenas colgadas de su cinturón. Él quería ser un tipo muy duro. Yo le di el papel de un príncipe y me aseguré de que le dieran las mejores ropas reales. Me aseguré de que tuviera un aspecto fantástico.

Había una chica que estaba vestida de un estilo muy gótico. Yo la hice reina. Le puse bastante

ropa hermosa, le puse maquillaje y le arreglé el cabello. A otro joven lo hice Sir Walter Raleigh, el gran líder y explorador. A otro lo hice el Duque de Marlboro, el genio militar de su época. Los vestí con disfraces típicos del periodo histórico que estaban representando.

Después de estar con ellos unas tres semanas durante ese verano cuando ellos venían todos los días, yo comencé a notar un cambio increíble en estos jóvenes.

El muchacho que asumió el papel de príncipe de repente adoptó un porte casi «real». Él dejó de decir groserías y cuando uno de sus amigos usó una mala palabra, él se dio vuelta y le dijo: «No puedes decir eso aquí. No puedes decir eso delante de mí». Su amigo quedó asombrado.

Ves, la ropa comenzó a cambiar la imagen interna de estos jóvenes. Yo pude ver a lo largo de varias semanas que se convirtieron en personas diferentes. Ellos, de hecho, querían realizar la imagen que existía en su exterior con su ropa.

Continuó diciendo:

Yo luego seguí estudiándolos y descubrí que su trabajo en la escuela y sus relaciones con sus padres habían mejorado. Yo quedé asombrada con lo que la ropa y la apariencia física hizo para esos chicos y chicas.

Como puedes ver, la ropa es importante. Es muy importante. Mary Mitchell, en su excelente libro CLASS ACTS, habla acerca de los estilos básicos de ropa. Ella da sus reglas generales para la compra de ropa. Esto es lo que dijo:

Tú debes tener un traje, un traje de pantalón y un vestido. Invierte en uno de cada uno de ellos y compra lo mejor que esté a tu alcance. Asegúrate de que te queden bien y no muestres demasiada piel. No muestres tu ombligo y no muestres mucho brazo. Si quieres ser profesional y una persona elegante, no muestres mucho escote y asegúrate de que el traje o el vestido sea de colores básicos. Usa accesorios simples y creativos y usa telas duraderas, cuidándote de no usar materiales sintéticos o materiales de noche

como Lamé. Si quieres hacerte respetar, usa el color negro, blanco, crema, gris, rojo o bermellón. Los colores beige, azul oscuro y verde azulado expresan confiabilidad. El amarillo, naranja, los rojos cálidos y el verde lima expresan amabilidad y calidez.

Ella luego dice:

Si eres una mujer, cómprate un buen blazer color azul oscuro. Compra uno bueno y llévalo a un sastre para que quede entallado. Esto se convertirá en una de tus mejores inversiones, porque será una pieza esencial. Puedes usarlo para arreglarte bien o para vestirte casual y siempre lucir bien profesional.

Zapatos. Usa los clásicos con algo de estilo. El negro y el gris topo combinan bien con casi cualquier color. Asegúrate de que puedas caminar cómodamente y para esto, los zapatos de tacón bajo son lo mejor. Compra zapatos de cuero fino, cuídalos bien y te durarán mucho tiempo. Para seguir las tendencias de moda, compra pares más baratos que no dudarás en reemplazar cuando queden fuera de moda la siguiente temporada.

Medias. Úsalas siempre cuando vayas a trabajar. El calor veranero sí requiere un cambio en las reglas, pero recuerda que las medias ayudan a crear la imagen de un conjunto completo. Asegúrate de que no estén enganchadas en ningún lugar e incluso úsalas debajo de los pantalones. El efecto que crean es de un estilo prolijo y bien organizado.

Estas son sus reglas básicas para los hombres.

Los hombres necesitan por lo menos tres trajes y un blazer azul oscuro. Un traje debe ser negro con rayas diplomáticas o azul oscuro, para ser usado durante ocasiones formales. Elige telas que sean duraderas durante todo el año y que no sean demasiado livianas o pesadas, como el lino pesado o el tweed. Las corbatas deben ser de calidad y deben coordinar con la tela de tus camisas.

Los zapatos deben ser de la calidad más fina que esté a tu alcance y necesitarás por lo menos dos pares. Uno de los pares debe ser con cordones y el otro sin cordones. Antes que todo, deben estar

bien lustrados y bien mantenidos, porque los zapatos siempre atraen la atención.

Las camisas deben estar limpias y planchadas, o si no, darás la impresión que tu mentalidad también está arrugada. Las camisas con cuello clásico o cuello inglés son de un estilo más formal. Las camisas de botones o de cuello alto con o sin chaqueta son una buena opción casual.

Los accesorios no deben ser el eslabón más débil de tu vestuario. Cualquier pieza de cuero, como un maletín, cinturones o zapatos, deben estar bien mantenidos y sin rayas. Nada de manchas o roturas en los abrigos o sobretodos. Los paraguas deben estar bien mantenidos y sin daño. Los zapatos y los cinturones siempre deben ser del mismo color. Tus medias no pueden tener agujeros y nada de piernas peludas expuestas. Ponte calcetines más largos o no te cruces de piernas.

Estos son los puntos prácticos. ¿Has notado la filosofía que está detrás de todo eso? Esa filosofía que dice que la ropa marca una diferencia; no sólo en cómo te ve la gente, sino cómo te sientes tú con esa ropa. Estamos hablando acerca de crear un estilo profesional y pulido y un look de negocios y aún ni hemos llegado al tema de la ropa casual. No obstante, la revista «Training Magazine» dice que casi el 75% de las compañías permiten que sus empleados usen ropa casual por lo menos una vez a la semana. ¡Y el 30% de las compañías que permiten ropa casual han observado un aumento en el coqueteo entre sus empleados! Estas compañías han reportado un aumento de 44% en trabajadores tardes y un aumento de casi 20% de insubordinación.

Así que no permitas que la ropa casual cree una ética de trabajo casual. Hay evidencia que muestra que reduce el profesionalismo de las personas. Volviendo a Mary Mitchell, ella nos dice que existen varias cosas «inadmisibles» con el tema de la ropa casual. Es bastante fácil. Nada de vaqueros. No a las camisas sin cuello. No a un suéter sin una chaqueta encima. No a las camisas de mangas cortas, a menos que sea verano y sólo con cuellos de botón. No a los calzados sin medias o las zapatillas. No a las camisetas sin mangas. No a la ropa deportiva o de ejercicio. No a las faldas largas con mallas. Nada de tela Spandex. Si quieres tener una interacción profesional con alguien en un marco de negocios, no te pongas ropa que usarías para ir al gimnasio, a la playa, el parque o para limpiar el garaje. Recuerda que ella es la que habla acerca de la vestimenta correcta y lo apropiado para cada situación.

CLAVE 4:

LAS IMPRESIONES DE ACOMPAÑAMIENTOS

Así que hemos llegado a la clave número cuatro en nuestra lista de 25 claves para ser un verdadero profesional. Ya te he dicho que la número cuatro está titulada: Las impresiones de acompañamientos. ¿Qué significa eso, lo de las impresiones de acompañamientos? Es bastante simple. Se trata de la idea de los accesorios aplicada a otras áreas de tu vida. Déjame darte un ejemplo. Algo que hace una impresión acerca de ti y que te acompaña es algo que tú tienes o usas, como una herramienta. Ese algo crea una cierta imagen o impresión de ti. Ahora bien, estoy pensando en cuatro cosas especificas. Número uno, tu auto. Tu auto de hecho es una herramienta y ciertamente acompaña las demás áreas de tu vida. Es un acompañamiento de imagen y deja una impresión particular.

Yo no estoy diciéndote que necesitas conducir un vehículo muy caro para dejar una buena impresión. Por supuesto que si tú ya tienes un auto lujoso como un BMW, Cadillac, Mercedes o Lexus, ya dejarás una impresión favorable con el tema de la imagen del éxito. ¿Y qué pasa si hoy por hoy, un vehículo así aún está fuera de tu alcance? Déjame decir algo específico acerca de los autos. Número uno. Recuerda esto. A veces es mejor encontrar un auto lujoso en buena condición, pero de un modelo más viejo. Aún puedes crear una buena impresión con el público general porque estás conduciendo un Lexus o un BMW. Y quizás no sea un modelo nuevo.

Yo tengo un amigo que compró un Mercedes que tenía más de doce años. El Mercedes estaba en una condición impresionante. El dueño lo había cuidado con mucha dedicación y el auto lo demostraba. La carrocería estaba en muy buena condición. Y aunque era un modelo de un estilo un poco más viejo, la persona común eso no lo sabía; sólo una persona que conoce bien a los Mercedes sabría eso. Gracias a que los Mercedes tienen la fama de durar mucho tiempo y la gente suele quedarse con sus Mercedes por muchos, muchos años, hasta una persona que conoce bien la marca no reaccionaría de forma negativa hacia esta persona y este auto en particular.

Y es más, él pagó menos por su Mercedes usado que lo que hubiera pagado por una versión más nueva de un auto más barato.

Así que esa es una de las maneras en que tú puedes encargarte del tema de los accesorios en cuanto a vehículos se refiere, o sea el tema de los acompañamientos. Pero aunque tú elijas esta opción o no, debes asegurarte de varias cosas importantes.

Debes asegurarte de que tu auto esté siempre limpio cuando sea posible. Un simple lavado de autos es bueno, pero asegúrate de que tu auto esté lo más limpio posible y eso incluye el interior. El interior no debe estar lleno de envolturas de alimentos o latas de bebidas pisadas o discos y casetes viejos y trastos tirados por todas partes. Porque cuando alguien vea el interior de ese vehículo, ellos al instante formarán una impresión negativa de ti. Así que ten el interior limpio, prolijo y organizado.

Mantén el exterior limpio. Presta atención en particular a las llantas y a la parrilla. La parrilla es la parte delantera del auto donde están ubicados los faros. La parrilla por lo general es el área que recibe todos los insectos y las partículas volantes del camino. Trata de dejarla lo más limpio posible. Usa quitamanchas para quitar la porquería y fíjate que las llantas se vean limpias. Las llantas sucias, sin lustrar o en malas condiciones, le hacen muchísimo daño a la apariencia general de tu vehículo.

Luego, asegúrate de que tu auto esté limpio y toma el tiempo para encerarlo tantas veces como puedas. Déjalo lo más brillante posible, porque hasta un auto que no es de las llamadas «marcas lujosas» también puede dejar una impresión excelente y positiva si simplemente está bien mantenido.

Ahora, yo también te diría que las impresiones de acompañamientos también incluyen tu hogar. En este caso en particular, estamos hablando acerca de la organización y la limpieza. Si alguien visita tu hogar y ve ropa sucia, una cocina desorganizada y la casa en un desorden general, ¿cuál piensas tú que será su primera impresión de ti? Cuando la gente viene a tu hogar, el área de entrada debe dejar una buena impresión y expresar que tú eres un profesional. No quiero decir que hace falta contratar un servicio de limpieza, pero guarda tus cosas para que alguien no las vea al entrar a tu hogar.

Esto es a lo que me refiero cuando hablo de impresiones de acompañamientos. Cosas físicas como tu hogar o tu vehículo. Y tercero, tu oficina. En tu oficina, debes tener la misma organización que tienes en tu hogar. Tu escritorio debe estar limpio. Debe estar bien prolijo y debes sacar la basura cada día. La impresión general de tu oficina debe expresar que tú eres una persona segura de sí misma, competente, fiable, con control, madurez, visión y concentración. Que tú eres un ganador y que tu oficina refleja tu naturaleza, tu personalidad y tu compromiso.

Ahora quiero agregar algo acerca de la ropa casual. A mí me gusta la ropa casual. Yo suelo vestirme de elegante mucho, así que me gusta cuando tengo la oportunidad de usar pantalones cortos y una camisa de golf y zapatillas o sandalias. Pero yo trato de asegurarme de que mi ropa casual también cree una buena impresión de acompañamiento. Yo no dije mucho acerca de esto en la sección sobre la ropa de la sección previa, pero sí te diré esto.

Déjame darte un ejemplo. Yo fui a un picnic con unas personas muy importantes en Beverly Hills. Esto fue el verano pasado y no me quise poner un traje, pero tampoco quería quedar mal. Así que me compré pantalones tipo Bermuda de la marca Golf Link, que siempre son apropiados y tenía un lindo cinturón de cuero y plata. Tenía puesta una camisa tipo Brooks Brothers con cuello y un par de sandalias de cuero negras que habían sido lustradas. Debo decir que yo pienso que me veía bastante bien y encajé bien con el grupo de personas que estaba en este picnic especial de negocios en Beverly Hills. Yo encajé bien. Yo estaba casual y cómodo. Yo creo que para los hombres, la ropa de golf suele ser una buena regla general para cómo vestir en un marco casual. Este tipo de ropa siempre crea una buena impresión de acompañamiento.

Así que tenemos el vehículo, el hogar, la oficina, la ropa casual.

CLAVE 5:

Utilización correcta de un vocabulario de éxito

L a quinta clave de ser un verdadero profesional es la utilización correcta de un vocabulario de éxito. El uso correcto de palabras de éxito. Nunca digas algo—y esto es un punto crítico—nunca digas algo que confirme una imagen negativa o un estereotipo negativo de ti a otra persona.

Lo diré una vez más. Nunca digas algo que tienda a confirmar una imagen negativa o un estereotipo negativo de ti a otra persona. En el Nuevo Testamento de la Biblia dice, en el libro de Efesios: «Ninguna palabra corrompida salga de vuestra boca, sino la que sea buena para la necesaria edificación, a fin de dar gracia a los oyentes». (Efesios 4:29 RVR 1960) La palabra «corrompida» aquí tiene que ver con la profanidad y la obscenidad, pero en el contexto más amplio del versículo, también está relacionado con decir cosas que levanten a los demás. El apóstol Pablo nos dice que no digamos nada que hiere, ofende o le causa vergüenza innecesaria a otra persona. Así que, aunque las palabras griegas para la «comunicación corrompida» se refieren específicamente a la obscenidad y la profanidad, su significado va más allá de eso y significan que debemos hablar de tal manera que los demás se sientan animados y apoyados y levantados. Un vocabulario de éxito.

Joe Girard, el vendedor de autos quien ya he mencionado antes, también escribió un ensayo en el cual él habla acerca de consejos de lenguaje para los vendedores exitosos. Consejos de lenguaje para vendedores exitosos. Quisiera compartir contigo algunas de las cosas que él dice y agregar algo de información mía.

Él dice que si tú vas a usar lenguaje bueno como una persona que está presentando una imagen profesional, siempre debes concentrarte en usar lo que él llama «palabras de progreso». Yo interpreto esto en el sentido de que estas son palabras que empujan una conversación hacia una dirección positiva. Por su misma naturaleza, cuando las usas, ellas promueven un movimiento positivo hacia adelante. No son negativas.

No son cansadoras. No ponen freno. Nos mueven hacia adelante y hacen que la conversación siga avanzando en una dirección dinámica y positiva.

Hace poco, yo estaba con un amigo mío de negocios en una conferencia en Washington, DC. Después de una de nuestras reuniones de seminario, yo le pregunté a él: «¿Qué piensas tú que la gente de tu negocio necesita ahora mismo? ¿Qué necesitan más que cualquier otra cosa?» Él me respondió que una cosa que realmente necesitan saber es cómo hablarles con éxito a otras personas, especialmente a los desconocidos. Ellos necesitan saber cómo hablar de una manera que de inmediato transmitan éxito con tan sólo abrir sus bocas. Las palabras de progreso te ayudarán a hacer eso.

Joe Girard hizo una lista de palabras de progreso efectivas. Yo he comparado y comprobado esta lista con otras listas similares y hoy siguen funcionado tan bien como el día que él las escribió.

PALABRAS QUE DEBEMOS USAR

1.- Él dice: «Si tú quieres palabras de progreso, usa la

palabra tú, o una de las variantes de la palabra *tú*. Tú, ti y tuyo ayudarán a la gente a avanzar. "¿A *ti* qué te gustaría hacer, Felipe?" "¿Este negocio qué haría para *tu* familia, José?" "Mirándote a *ti* misma Susana, ¿cómo *te* verías beneficiada por esto?" ¿Ya ves? Tú, tú, tú. Es lo único que hice. Yo simplemente les dije "tú" continuamente. Les dije "tú" desde cada dirección. "¿Cómo te beneficiaría esto a ti, Susana?" "¿Qué piensas tú acerca de esto, Jonatán?" "¿Qué piensas tú, Brenda?" "¿Qué piensas tú que esto haría para ti o para tu futuro, José?" Ya ves, esto seguirá y seguirá moviendo la gente hacia adelante.»

2.- La segunda palabra de progreso es la palabra *nosotros*. «Nosotros trabajaremos juntos en este negocio. No te preocupes. No te pongas nervioso. No te sientas incómodo. *Nosotros* trabajaremos juntos. *Nosotros* seremos un equipo. *Nosotros* seremos socios. *Nosotros* nos encargaremos de los problemas juntos. ¿Alguien te causó problemas? ¿Alguien te criticó por este negocio, Bill? Oye, *nosotros* trabajaremos juntos.» Gracias a que la palabra *nosotros* es una palabra de apoyo, siempre crea un sensación de seguridad. Las palabras *tú* crean una sensación de atención hacia ellos. Es obvio que la atención está en ellos, como debe ser. Pero la palabra *nosotros* representa seguridad y comodidad.

3.- La tercera categoría es *nosotros mismos* y *nuestro*. Es una continuación de la palabra *nosotros*, pero conduce hacia una dirección diferente. «*Nuestro* plan es ayudarte a *ti* a tener éxito.» Si tú combinas dos categorías de palabras, eso es poderoso. Es algo muy poderoso. «Si *nosotros* nos miramos a *nosotros mismos*, *nosotros* podemos crear un plan que *te* beneficiará a *ti* ahora mismo.» ¿Puedes ver lo que acabo de hacer? Yo usé las tres categorías de palabras de progreso y construí una declaración poderosa. «Si *nosotros* nos miramos a *nosotros mismos*, *nosotros* podemos crear un plan que *te* ayudará a crecer *tu* negocio en seis meses.» ¿Ves? Eso es algo que brinda comodidad. Es algo centrado en la seguridad.

4.- La siguiente, la categoría número cuatro, incluye las palabras *lo siento*. «Pues, *lo siento* que no hice un buen trabajo al presentar esto. ¿Cómo puedo hacerlo mejor?» «José, *lo siento* si no contesté *tu* pregunta.» «*Perdóname*, pensé que lo había hecho bien. ¿Cómo puedo hacerlo mejor?» «*Lo siento mucho*, Susana. Debo de haber malinterpretado lo que tú dijiste.»

Esto es especialmente eficaz con una persona molesta. «*Lo siento mucho*, Rafael. No sabía que eso era lo que *tú* querías decir.» «Disculpe, Steve. No lo entendí bien. Déjame intentarlo otra vez.» Esa es una declaración poderosa.

5.- Luego está la palabra *promesa*. No usa esta sino con mucho cuidado. Y lo digo en serio, con mucho cuidado. Si tú usas la palabra promesa, más vale que estés listo para cumplirla hoy mismo. Hay un gran verso en la Biblia que dice que todas las promesas de Dios son: «sí» y «amen». (2 Corintios 1:20) Es decir, las promesas de Dios son absolutamente ciertas. Si Dios dice que Él hará algo, Él siempre lo hará, sin excepción. Las promesas de Dios no pueden fallar.

Entonces, tú debes tener la misma actitud hacia tus promesas. Yo sé que tú no eres Dios. Y de tanto en tanto tú fallarás, pero por lo menos debes tomar tus promesas con esa seriedad. Así que si tú le prometes algo a alguien, dilo con toda tú intención.

Mira lo poderoso que es cuando tú dices: «Te *prometo* que si tú haces este negocio conmigo, yo estaré aquí para apoyarte. Te lo *prometo*». Si usas la palabra *promesa*, debes entender que eso implica un contrato. Implica seguridad. Es un compromiso seguro para el futuro. Yo te lo *prometo*. Sólo usa esta palabra de vez en cuando y sólo si estás seguro de respaldar tus palabras. Esta palabra tiene una fuerza tremenda cuando se usa.

6.- Después tenemos las palabras *por favor*. Esta ya la deberías conocer. «¿Puedo programar una cita contigo, por favor?» «¿Me puedes pasar ese libro, por favor?» «José, si me harías el *favor*, me encantaría tenerte en la reunión la semana que viene.» *Por favor* es una de esas expresiones que implican no seguridad, sino respeto. Respeto.

7.- Por supuesto que también está la clásica palabra *gracias*. ¿Cuántas veces por semana suele alguien decir gracias? Esta semana, mi familia entera estaba en un partido de béisbol de los Cincinnati Reds. Fuimos a ver a los Cincinnati Reds jugar contra los Florida Marlins. Lamento tener que decir que nuestro equipo de Cincinnati perdió dos a cero contra los Marlins. Sin embargo, fue un buen partido con buenas jugadas defensivas. A mi hijo Jonathan le encanta el béisbol. Antes de que comenzara el partido, Allison y Amy vieron que había dos jugadores en el campo acercándose a las tribunas para firmar autógrafos. Así que yo llevé a Jonathan hacia ahí. Cómo me llenó de orgullo mi hijo. Estuvimos ahí media hora parados bajo el fuerte sol de mediodía, haciendo cola para dos jugadores, un lanzador y un receptor. Tras mucho esfuerzo y dedicación y con mucha dificultad, Jonathan por fin logró que el cátcher le firmase un autógrafo. Jonathan miró al cátcher y le dijo: «¡GRACIAS!» Yo estaba tan orgulloso de él porque él fue el único niño que dijo *gracias*. Él fue el único de los cien niños ahí presente en decir *gracias*. Ese cátcher se dio vuelta, sonrió y le saludó. ¿Le habrá importado eso a ese jugador? Yo creo que sí. A mí ciertamente me importó como padre que a mi hijo se le ocurrió decir eso tras haber estado parado tanto tiempo bajo el calor del sol entre otros cien niños para conseguir un autógrafo. Hay un poder tremendo en expresar respeto y aprecio. Tú distingues a alguien. Es algo muy especial.

8.- La última palabra o frase es ***disculpa***. ***Discúlpame, lo siento***. ¿Es eso lo que tú querías decir? O, ***discúlpame***, debo haberte malinterpretado. O si la gente se distrae, sólo di, «***Disculpa***, déjame mostrarte cómo funciona este plan de compensación.» Así que puedes usar ***discúlpame*** para cambiar discretamente el rumbo de una conversación.

Estas son palabras de progreso: tú, tú mismo y tuyo; nosotros, nuestro, nosotros mismos; lo siento; promesa; por favor; gracias; disculpa. Y tú las puedes combinar como lo he hecho yo. Las puedes intercambiar u organizar de manera diferente para crear declaraciones muy poderosas que moverán a una persona hacia adelante en una dirección positiva.

PALABRAS QUE DEBEMOS REFRENAR

Girard dice en su ensayo que debemos dejar de usar palabras que refrenan. Recién acabo de darte mi interpretación de las palabras de progreso. Así que, ¿a qué se refiere él cuando habla de palabras que refrenan? Bueno, miremos dónde empieza.

1.- Él dijo: «Trata de no usar "yo" o "me" o "mí". "Pues, *yo* pienso...", o: "En *mi* caso...", o: "Bueno, pues, para *mí*..."».

Permíteme hacer una excepción a lo que Joe nos dice aquí. Yo creo que uno puede sumar credibilidad si estás dispuesto a decir: «Esto es lo que yo he hecho». Eso está bien. Explica lo que tú has hecho con tu negocio y cómo te funcionó. Eso está bien. A lo que Joe se está refiriendo es el peligro de convertirse en un adicto de las palabras «yo» y «mí». Convertirse en la clase de persona que constantemente usa la palabra «yo» o «mí»

con el resultado de que eclipsa la atención que se debería poner en la otra persona.

2.- Él luego nos dice que debemos evitar las palabras *mi, mío* y *mí mismo*. Esto es un poco más difícil, porque si tú comienzas a hablar acerca de «*mi* situación», es fácil parecer egoísta y eso ya es algo diferente. Si tú dices: «Yo hice esto y funcionó para mí», entonces eso está bien, porque no pareces ser egoísta. Pero si tú dices: «Bueno, para *mí*... en el caso *mío*...», por alguna razón u otra, eso implica un cierto egoísmo. Hay una diferencia sutil entre esos dos usos de fraseología, pero sí son diferentes y al usar *mi, mío* y *mí mismo* se crea una impresión un tanto más negativa.

3.- Las siguientes palabras que él nos aconseja eliminar de nuestro vocabulario de éxito son *más tarde.* "Nos vemos *más tarde.*" "No tengo tiempo para hacer eso ahora mismo, lo haremos *más tarde.*" Quizás ellos *más tarde* no tengan tiempo. Así que trata de no usar las palabras *más tarde.* ¿Cómo te parece si alguien te dice: «¿Quieres saber cómo te recompensará este negocio? Te diré *más tarde*». A la gente eso no le gusta. A la gente no le gusta ese tipo de interrupción. Si realmente eres incapaz de hacer algo, toma el tiempo para explicar porqué. Di: «Pido disculpas», «Lo siento», o «Perdón». Usa todas esas frases de poder. Las frases de poder positivas. No postergues a las personas con las palabras *más tarde*.

4.- Otra de las palabras que él nos dice que evitemos usar es *quizás*. ¿Por qué? Porque hace parecer que estás vacilando. "¿Funcionará este negocio?" "*Quizás*." *Quizás* es una palabra que automáticamente genera dudas. "¿Puedes hacer esto bien?" "*Quizás*." No empieces con dudas. No empieces con titubeo. No empieces con desconfianza. No uses *quizás*.

Usar palabras sencillas

El tercer consejo que él tiene acerca del lenguaje es usar palabras simples. ¿Recuerdas mi cita de Winston Churchill? La cita que usé antes de Winston Churchill, uno de los hombres más elocuentes de la historia, es: «De todas las palabras que conozco, las más cortas son las más útiles».

Mira esa frase que él escribió. *De.* Esa es una palabra corta. *Todas.* Esa es fácil de entender. *Las.* Una sílaba. *Palabras.* Sólo tres sílabas. *Que.* Una sílaba. *Conozco.* Tres sílabas. *Las más...* sílaba, sílaba. *Cortas.* Dos sílabas. *Son las más.* Todas de una sílaba. *Útiles.* Tres sílabas. Él dice algo poderoso usando palabras básicas, simples y de pocas sílabas. «De todas las palabras que conozco, las más cortas son las más útiles». Usa palabras simples.

NO USAR PALABRAS ALARMANTES

Joe escribe un cuarto consejo y dice que no debemos usar palabras «alarmantes» delante de otras personas. Hay ciertas palabras que sólo les harán enojar.

Quizás tú tengas convicciones o principios que tú deseas defender, y eso es algo que yo puedo honrar y respetar. Pero tú no estás creando un negocio profesional para simplemente crear controversias y hacer enojar a la gente. Si tú desarrollas una relación lo suficientemente buena con alguien, entonces más adelante podrás hablar acerca de estos temas de una manera más positiva y cordial. No uses estas palabras «alarmantes». Si tú eres republicano, hay ciertas palabras que no debes usar delante de un demócrata y viceversa. Recuerda que tú estás intentando animarles a que ellos trabajen contigo, no a discutir. Así que no uses palabras «alarmantes».

NO USAR PALABRAS DE JERGA

Joe nos da un quinto consejo de que no usemos jerga. Usar jerga quizás te haga parecer una persona sin educación o con pereza mental. Si estás con un grupo que habla sólo con jerga, entonces quizás tú también puedas usar un poco. Esa es una de las posibles excepciones a lo que Joe se está refiriendo, pero en términos generales, él tiene toda la razón. El uso de jerga te identifica como una persona sin madurez, desarrollo, educación, preparación y disciplina.

SIEMPRE DI LO QUE PIENSAS

Él nos dice que estas son sus reglas de lenguaje para los que trabajan en ventas. Siempre di lo que piensas.

Es así de simple. Siempre di lo que piensas. Nada de engaño o chicanear. Nada de evasión. Siempre di lo que piensas.

El otro día, yo me encontré con alguien, y él estaba charlando conmigo cuando de repente se nos acercó otro hombre. Durante el transcurso de este encuentro, el otro hombre, que trabaja para una corporación, le ofreció un trabajo a este joven que acababa de terminar sus estudios. Yo escuché atentamente mientras este tipo empresarial le ofreció este trabajo. Él le hizo un gran número, una verdadera rutina. Resulta que el muchacho no estaba interesado en trabajar para esta compañía porque él no creía en ella. Así que con firmeza pero siendo muy cordial, él le rechazó su oferta. El tipo empresarial se ofendió. Él le dijo: «Bueno, dime la verdad». El muchacho fue muy respetuoso, muy claro y muy firme. Él le explicó que la compañía hace ciertas cosas que él no aprueba del todo, pero le aseguró al tipo empresarial que aún tenía mucho respeto por él como persona. El joven fue muy amable, pero verdaderamente dijo lo que pensaba. Yo respeté a ese muchacho por como se encargó de esa situación.

Debes ser diplomático y elegir bien tus batallas. No seas como el individuo que se parece a un toro en una tienda de cerámica. No causes problemas innecesarios. No crees enemigos innecesarios. No lo hagas. Trata de ser una persona que dice lo que siente.

Jack Welch, el ex-jefe de General Electric, dice que lo que él valora más que cualquier otra cosa en los negocios y el éxito es la sinceridad. Alguien que dirá la verdad y será honesto acerca de lo que piensa. No es descortés; no es mal educado; no es duro; no es negativo; no es crítico; sino honesto. Él dijo que eso lo valora más que cualquier otra cosa en el éxito. Sé sincero al hablar.

SÉ SINCERO CON LO QUE DICES

El séptimo consejo que Joe nos escribe es: «Sé sincero con lo que dices». Esta es la otra parte del número seis. Número seis dice: «Siempre di lo que piensas». Número siete es: «Siempre sé sincero con lo que dices». No engañes a la gente; no le des a la gente una impresión que no es justa. Esa es una forma de deshonestidad. Si tú dejas una impresión falsa con alguien intencionalmente, aunque no hayas mentido del todo, tú sí has creado una mentira. La Biblia dice que Dios ama la verdad en lo íntimo; en el corazón. Dios valora la verdad. Tú le honras a Él cuando eres honesto. Así que sé sincero con lo que dices.

NO USAR PALABRAS OBSCENAS

Según Joe, un octavo consejo es que nunca debes usar obscenidades. Yo estoy de acuerdo con él acerca de esto. Nada de obscenidades. Yo sé que vivimos en una sociedad llena de malas palabras. Es algo realmente sucio y nos revela que estas son personas que no están bien preparadas para una vida de éxito. Son muy irrespetuosos hacia otras personas y están muy limitadas. Ellos piensan que decir ese tipo de basura es genial.

Hace poco, yo leí algo escrito por una lingüista que piensa que muchos jóvenes que han oído estas palabras usadas en películas por tantos años, suelen usar estas groserías cada tres o cuatro palabras, simplemente porque es una manera de llenar las pausas en una conversación. Ya ni siquiera se dan cuenta de lo que están diciendo. Pero sigue siendo algo sucio; vulgar; grosero; mal educado; burdo; y muestra que eres una persona no confiable. Joe nos dice esto. No uses ningún tipo de obscenidades. Si lo haces, la mitad de tu audiencia se ofenderá y la otra mitad estará avergonzada. ¿Así que para qué correr el riesgo?

CLAVE 6:

LA PREPARACIÓN EFECTIVA

L a sexta clave para ser un verdadero profesional es la preparación efectiva. Asegúrate de que estés lo más preparado posible ante cualquier situación profesional. Es aquí donde debes tener cuidado con lo que llamo «demoras engañosas». Quizás tú quieres prepararte para algo, pero te pones a procrastinar. Postergas la preparación y te dices que necesitas relajarte o descansar. Quizás tú estés tan cansado que de hecho lo necesites. Eso es posible, pero en términos generales, estas demoras pueden ser engañosas. Te pueden engañar y hacerte pensar que estás preparado cuando realmente no lo estás. Luego te apurarás y harás todo con prisa, pensando que podrás improvisar.

Algunos de ustedes pueden improvisar bastante bien. Pero tarde o temprano te pasará factura. ¿Y qué si justo ocurre durante el momento más importante de tu vida y no serás capaz de improvisar? Quizás sea el momento más importante de tu vida y fracasarás porque no estuviste preparado. Así que no demores en tu preparación y no te engañes pensando que siempre podrás improvisar algo. Eso es lo que hacen las demoras engañosas. La preparación efectiva significa que eres efectivo en tu preparación. Sólo necesitas organizarte y estar preparado.

Lana Niconey ha escrito un libro muy interesante llamado ORGANIZANDO PARA TU TIPO DE CEREBRO (Organizing For Your Brain Type). La segunda parte de su título explica el tema de su libro: ENCONTRANDO TU Propia SOLUCIÓN PARA MANEJAR TIEMPO, PAPELES Y COSAS (Finding Your Own Solution To Managing Time, Paper and Stuff). Ella nos dice que básicamente existen cuatro estilos de organización.

CUATRO ESTILOS DE ORGANIZACIÓN PERSONAL

1.- Ella dice: «Si tú te manejas desde la sección izquierda del lóbulo frontal, tú tienes un estilo de priorizar. Eres un experto en analizar datos y tú prefieres delegar la organización». ¡Tú simplemente quieres hacer lo que haga falta!

2.- Ella dice: «Si tú te manejas desde la sección izquierda del lóbulo posterior, entonces tienes un estilo de rutina. Tú desarrollas y sigues rutinas bien y eres partidario de los métodos tradicionales de organización». En su libro, ella dice que estas personas son las que disfrutan del mero acto de organizar. A ellos les gusta poner las cosas en orden y sienten la necesidad de hacerlo.

3.- Ella luego dice: «Si tú te manejas del lado derecho del lóbulo frontal, tú tienes un estilo innovador. ¡Tú eres una persona artística y creativa y tienes un sistema único de organización que nadie más puede comprender!» Ella dice que este tipo de persona necesita un margen para respirar. Las estructuras complejas te hacen sentir sofocado, así que tú necesitas buscar maneras creativas, elegantes y diferentes para hacer las cosas.

4.- Por último, ella dice que hay aquellos de ustedes que: «se manejan desde el lado derecho del lóbulo posterior y tienen un estilo de armonía. Tú valoras la conexión con tu familia, tus compañeros de trabajo y más que cualquier otra cosa, necesitas que tu medio ambiente esté lleno de paz». Esta es la clase de persona que ella cataloga como alguien que organiza para crear armonía, paz y balance.

Esto es lo que ella enfatiza en su libro. «No importa si tienes un estilo de priorizar, concentrarte en tus metas y ser motivado por ellas; o un estilo cuidadoso, mantenedor, que necesita estar organizado; o un estilo espontáneo, creativo, innovador y único; o un estilo de armonía, en el cual la armonía es importante y la razón por la cual tú organizas todo».

En su libro ella escribe: «Sea cual sea tu estilo, recuerda una cosa. Tú debes ser serio con la organización. No importa tu forma de ser. Tú puedes ser alguien que prioriza, que mantiene, que crea armonía o un innovador. No importa. No importa en lo absoluto. Tú debes aprender a ganar en esta área, porque esto afectará tu vida entera», y ella tiene razón. Si por cualquier razón tú no estás bien preparado, si careces de organización y estás en un desastre, tú no podrás ser un verdadero profesional.

CLAVE 7:

TENER UNA MENTALIDAD DE ESTUDIANTE

L a séptima clave para ser un verdadero profesional es tener una mentalidad de estudiante. Si tú eres un verdadero profesional, siempre tendrás una mentalidad de estudiante. Siempre estarás enfocado en el crecimiento.

A mí me encanta ese gran verso en 2 Pedro en el Nuevo Testamento que dice que un cristiano comprometido que tiene una relación con Jesucristo debe crecer en la gracia y en el conocimiento de nuestro Señor y Salvador Jesucristo. (2 Pedro 3:18) Esa es una declaración llena de poder. Eso significa que como cristiano, nunca te quedes estancado.

Tú no quieres quedarte estancado como profesional o como individuo. Cuando yo leí este libro fascinante acerca del carácter de Winston Churchill, aprendí que aún a sus setenta y ochenta años, Churchill siempre tuvo una gran hambre de seguir creciendo.

Recién acabo de obtener una copia de un gran libro llamado Los Secretos de Liderazgo de Billy Graham (The LEADERSHIP SECRETS OF BILLY GRAHAM), que cuenta cómo Graham siempre tuvo un hambre por información y conocimientos nuevos. Eso es lo que te mantiene joven.

¿Sabes porqué las mulas son tan tercas? ¡Los científicos han comprobado que ellas son tan tercas porque se olvidan de todo! Ellas tienen una capacidad mental para concentrarse tan limitada y un período de atención tan breve, que tú le puedes enseñar a hacer algo y un momento después se olvidará de lo que le enseñaste. Es por eso que las mulas tienen la reputación de ser tan tercas; ¡en realidad son sólo estúpidas! Tú no quieres ser una mula olvidadiza. Quieres mantener bien entrenado tu cerebro.

A continuación hay algunas buenas reglas para la gestión de la memoria que yo aprendí hace poco de un manual de éxito.

OCHO REGLAS PARA LA GESTIÓN DE LA MEMORIA

REGLA 1 - Tú debes mantener abierta una cuenta bancaria de memorias. Esta cuenta bancaria de memorias siempre alimenta tu memoria; siempre le ofrece información nueva y apasionante a tu cerebro. Tú siempre sigues estudiando cosas. Ellas te ayudan a mantenerte joven, agudo, elástico y flexible. Mantén abierta una cuenta bancaria de memorias.

REGLA 2 - No guardes sólo trivialidades. Trata de guardar cosas que importan y que tú puedes usar. A veces las trivialidades son interesantes, pero ellas te pueden inundar. No rellenes las bóvedas de tu memoria con sólo trivialidades.

REGLA 3 - Uno debe limpiar su bóveda mental cada día. Es decir, repasa lo que has aprendido y anótalo. Así es como se limpia. Limpia tu memoria al escribir las cosas, así no te hace falta seguir recordándolo. Lleva contigo un pequeño cuaderno para anotar cosas o quizás un Palm Pilot electrónico para tu limpieza diaria.

REGLA 4 - Aprende todos los trucos de asociación de palabras. Aprende los trucos de asociación de palabras.

Si yo tengo un amigo que se llama Tomás, que vive en las lomas, quizás lo recuerde como «Tomás de las lomas». Usa la asociación de palabras. Es como un juego divertido.

REGLA 5 - No confíes en tu memoria. Esta sí que es una regla interesante. No confíes en tu memoria. Creo que él se está refiriendo a que uno debe anotar las cosas, como mencionamos antes. Asegúrate de guardar la información en un lugar fácilmente accesible. No seas como un hombre que yo conozco. ¡Él anota las cosas y al rato pierde todo lo que escribió! No confíes en tu memoria, pero confía en la palabra escrita. Confía en lo que está escrito. No esfuerces tanto tu memoria.

REGLA 6 - No confundas tu memoria. No te quedes estancado con cosas que no son necesarias o no son importantes. No pierdas demasiado tiempo preocupándote por las cosas. Esa es una manera ideal de confundir o embarrar tu memoria; de perder tu enfoque mental; de cansarte. Lo que quieres es prevenir el robo de la juventud y la frescura a tu proceso mental, y una buena forma de hacer esto es dejar de preocuparse.

No todos de ustedes comparten mis convicciones y creencias cristianas. Eso ya lo sé. ¿Sabes que en la Biblia, en más de 300 ocasiones, Dios dice, «No temas»? Eso lo dice Dios. Uno no debe preocuparse, especialmente aquellos de ustedes que tienen una relación con Cristo como Señor y Salvador. Pero ninguno de ustedes debe preocuparse. Sin importar si eres judío, budista, o islámico, yo te respeto totalmente. No estoy queriendo criticarte. Pero tú no debes preocuparte tampoco, porque la preocupación entorpecerá tu cerebro, tu mente y tus memorias.

REGLA 7 - Evita las trampas de memoria. ¿Qué significa eso? Muy sencillamente, esto significa que uno siempre debe decir la verdad. Porque si tú no dices la verdad, tarde o temprano quedarás atrapado en los lapsos de tu memoria. Así será. Es como una ley de Dios en este universo. Te pasará factura, así que no crees trampas de memoria. Siempre di la verdad.

REGLA 8 - Si quieres tener una mente y una memoria joven, mantén tu mente ocupada. Esto te mantendrá elástico, flexible y agudo. Si tú vas a ser un estudiante, necesitas mentores. ¿Entiendes? Si vas a tener una mentalidad de estudiante como un verdadero profesional, tú necesitas mentores.

DIEZ CARACTERÍSTICAS DE UN BUEN MENTOR

Permíteme que te dé los principios básicos de un mentor. Esta es la prueba para un mentor en tu vida. El mentor, entrenador o la persona que te aconseja en tu vida, debe tener diez características esenciales. Veamos estos principios de tener una mentalidad de estudiante del punto ocho. Yo todavía estoy hablando acerca de moverse como estudiante hacia el mentor correcto que adiestrará tu mente. Un buen mentor tiene diez características.

1.- UN BUEN MENTOR, COMO BUEN MAESTRO, CREA SENDEROS. Eso significa que un buen mentor abre un camino. Un buen mentor te muestra el camino. Un buen mentor crea una dirección. Eso es lo que significa crear senderos. Él crea una dirección. Él traza el camino a tomar.

2.- UN BUEN MENTOR TE PROTEGE DE LOS ERRORES. Tú necesitas alguien que te cuide y que te guarde las espaldas. Un mentor efectivo debe ser un experto en eso.

3.- UN BUEN MENTOR TE REVELARÁ ATAJOS, porque él o ella ha visto mucho más del mundo que tú. Él o ella sabe más que tú y sabe cómo usar atajos sin afectar tu efectividad. Y tú debes aprender estos atajos porque aumentarán tu impulso y acelerarán tu progreso.

4.- UN BUEN MENTOR ANALIZA Y EVALÚA TU DESEMPEÑO. Un buen mentor analiza y evalúa tu desempeño para que puedas ver cómo estás andando. Él establece una observación de tus movimientos para mostrarte realmente cómo te está yendo.

5.- UN BUEN MENTOR CORRIGE LAS DEBILIDADES. Un buen mentor corrige las debilidades con amor. Un buen mentor corregirá tus debilidades muy cuidadosamente con amabilidad y generosidad.

6.- UN BUEN MENTOR TE DIRÁ LA VERDAD. Un buen mentor te dirá la verdad. Es probable que esto lo necesites más que cualquier otra cosa.

7.- UN BUEN MENTOR CONECTA TODO A LOS PRINCIPIOS CORRECTOS. Es por esto que yo te aconsejo que consigas mentores que sirven a Dios, porque un mentor de Dios te conectará a los principios de Dios. ¿Quieres los principios de Dios? Ve al Antiguo Testamento judío y lee el libro de los Proverbios. Billy Graham lo lee cada mes. Eso lo ha hecho por muchos años. Busca una traducción moderna y recibe el poder y la fuerza de esas enseñanzas prácticas del éxito. Un mentor conectará todo a los principios correctos y a los principios de Dios. Porque los principios te guiarán y te protegerán. Los principios te dirán qué debes hacer cuando estás en una situación en la cual ocurren cosas que no esperabas. ¡Los principios te rescatarán!

8.- UN MENTOR SE NEGARÁ A DOMINARTE O CONTROLARTE. El mentor es un entrenador. Él no es un jefe. Él no es un comandante. Él no es un gobernante. ¡Él es un mentor! Así que él se niega a dominarte o controlarte.

9.- UN BUEN MENTOR TE PERDONA. Tú necesitas perdón. Tú necesitas el perdón para moverte hacia adelante. Tú necesitas el perdón por todas las cosas tontas que harás. Un mentor te perdona.

10.- Un buen mentor ora por ti. Ora a Dios por ti; le clama al Señor por ti. Un buen mentor ora por ti.

Todo eso te ayudará a tener una mentalidad de estudiante. Lo que uno nunca quiere es quedar estancado como persona o como profesional. Déjame compartir contigo una lista fascinante que descubrí hace poco: Señales de Envejecimiento. Esto es lo que no quieres tener. Es por esto que tú quieres una mentalidad de estudiante.

Señales de envejecimiento:

▶ Sueles usar ropa pasada de moda.

▶ Siempre le dices a los jóvenes lo fácil que tienen las cosas comparado a tu juventud.

▶ Cuentas los mismos chistes y las mismas historias de siempre.

▶ No lees libros nuevos y no ves películas nuevas.

▶ Siempre estás dispuesto a hablar acerca de los males que sufres, especialmente si es algo físico.

▶ No has conocido a nadie nuevo en más de un mes.

▶ Te molestan los ruidos y la jerga de la juventud.

▶ Hace años que no has aprendido ninguna actividad nueva o que no has encontrado algún interés nuevo.

▶ Prefieres quedarte en casa… todo el tiempo.

▶ No tienes ningunas metas o planes grandes, nuevos y apasionantes que guían tu vida.

Ya ves, si tú mantienes una mentalidad de estudiante como profesional, podrás superar todo eso. Si consigues mentores nuevos, podrás superar todo eso. Si mantienes tu mente elástica y creciendo y fuerte, podrás superar todo eso. Todo eso es el número siete: una mentalidad de estudiante.

CLAVE 8:

SEGUIR HASTA EL FINAL

La octava clave para ser un verdadero profesional es seguir hasta el final.

Mi hijo Jonathan se fue a probar al equipo de béisbol juvenil Little League. Él jamás había jugado antes del año pasado y estoy tan orgulloso de él. Él casi formó parte del equipo estrella y recibió 11 de los 12 votos de primer lugar, ¡sin haber jugado béisbol antes de ese mes! Él nunca había jugado al béisbol, pero él tuvo tanto compromiso y amor por el juego. Yo estoy muy orgulloso de él. Una de las cosas que su entrenador le dijo durante cada práctica de bateo fue: «Jonathan, no te olvides de seguir el movimiento hasta el final». Él le recordaba que si él se detenía demasiado antes, le podía dar a la pelota, pero quizás no iría demasiado lejos. Lo mismo es cierto con ser profesional.

Lo mismo también es cierto en el golf. Mi hija Allison está aprendiendo a jugar golf. A ella le gusta el golf y tiene un buen «swing». Los entrenadores profesionales siempre le dicen: «Allison, completa el "swing". Impulsa hasta el final».

Pues, un verdadero profesional sigue hasta el final con las personas. Eso significa que uno siempre cumple sus promesas. Que siempre está disponible. Siempre es confiable. Siempre es un verdadero profesional.

CLAVE 9:

LA FIABILIDAD

Clave número nueve es la fiabilidad. ¿Cómo es diferente a seguir hasta el final? Seguir hasta el final no necesariamente está conectado con la fiabilidad. Seguir hasta el final puede ser simplemente una cuestión de quedarse con algo hasta que esté completado. Sin embargo, la fiabilidad significa merecer confianza. Recuerda que una promesa es un contrato. Así que estoy enfatizando estos dos conceptos, el seguir hasta el final (número ocho) y la fiabilidad (número nueve), como dos cosas que van de la mano.

CLAVE 10:

DOMINIO DE LOS NEGOCIOS

L a décima clave para ser un profesional en los negocios es dominar los negocios. Eso significa que tú debes conocer tu negocio. Debes saber tu terminología. Debes conocer tus productos. Debes conocer tu historia. Si no sabes realmente de dónde vino tu negocio, puedes quedar atascado haciendo algo equivocado sin saberlo. Es posible que alguien te esté animando a hacer algo equivocado y tú ni te darías cuenta por no haber conocido bien la historia. Así que tú debes dominar los productos, la terminología, la literatura de negocios y la historia. El dominio de los negocios.

CLAVE 11:

EL DESARROLLO DE INSTINTOS SOCIALES

L a undécima clave de un verdadero profesional es el desarrollo de instintos sociales. Hace poco, leí un manual que decía que si tú quieres una estrategia básica para vender cosas, entonces recuerda esto, esa estrategia incluye sólo siete cosas.

La estrategia básica incluye siete cosas y todos son instintos sociales hacia la gente:

1.- Prospectar
2.- Calificar
3.- Presentar
4.- Demostrar
5.- Contestar objeciones
6.- Cerrar el trato (pidiéndoles que lo hagan)
7.- Consolidar

Esos son los siete componentes de una venta. Prospectar posibles clientes; calificarlos; presentarles el negocio; demostrar que funciona con datos y hechos; contestar objeciones, porque siempre las habrá; cerrar el trato, pidiendo la venta en sí; y consolidar.

Todas estas son sociales. Todas estas tienen que ver con entender a las personas. Los instintos sociales constan de estas cosas: la habilidad de entender a las personas; de prestarles atención; de ser sensible a sus objeciones; de ser sensible a sus preguntas; de saber cuándo pedirles que se comprometan; cuándo cerrar el trato; cuándo consolidar; y cuánto y qué tan rápido. Todos estos son instintos sociales que se basan en observar y comprender a la gente.

CLAVE 12:

GUIAR LAS RELACIONES

Un verdadero profesional sabe cómo guiar las relaciones. Déjame decirte algo que siempre debes recordar. Siempre debes ser el capitán de tus propias relaciones. Esto significa que tú debes guiar todas las relaciones en tu negocio y en tu vida. Tú debes ser sensible y reconocer que la gente quiere sentir que te interesas en ella. Tú quieres ser el que guía esa relación.

En su libro, Joe Girard dice que una vez pensó que le había vendido un auto lujoso a un hombre, pero que el hombre se fue sin comprarlo. Él se marchó y no lo compró. Girard se quedó tan preocupado por esto que decidió llamar al hombre en casa a las once de la noche. Le pidió que no se enojara. Pero le dijo: «Yo quiero ser el mejor vendedor posible. Hoy tú estuviste más de una hora conmigo, mirando vehículos y pensé que habías encontrado uno que te gustaba. Pero no lo compraste. ¿Por qué?» El hombre le explicó:

¿Sabes qué, Joe? Durante nuestra conversación, yo seguía tratando de decirte lo orgulloso que estoy de mi hijo, el doctor. Tú lo ignoraste cada vez. Tú nunca me preguntaste acerca de mi hijo. Nunca hiciste algún comentario. Nunca hiciste alguna observación, así que yo decidí que si a alguien no le importa mi hijo o yo, no quería comprarle un vehículo».

Joe dijo: «En esa conversación, aprendí la lección de mi vida».

Tú debes entender que la gente desea relaciones. ¿Quieres oír una historia verdadera? Yo escuché una historia verdadera acerca de una gran exhibición de barcos en el Medio Oeste. Se trata de un jeque árabe con una fortuna petrolera que llegó a la exhibición de barcos y se acercó a un vendedor. Él le dijo al hombre que deseaba comprar $20 millones en barcos. El vendedor se rió de él. Él se pensó que el jeque estaba bromeando. Ni siquiera le sonrió. Le dijo que se fuera a buscar a otro lado. El jeque quedó tan perturbado que se acercó a un vendedor joven, que era un novato y sólo estaba ofreciendo literatura. Ese vendedor joven se paró y le sonrió. Habló con él. Él le escuchó y averiguó qué tipo de botes quería y cuáles eran los que le gustaban. El jeque le dio una orden por $20 millones de barcos a ese vendedor novato. ¿Cuál fue la diferencia? Al jeque le preguntaron eso más tarde y él admitió que fue bastante simple. El primer hombre simplemente no estaba interesado en él y no le sonrió. El segundo hombre pareció caerle bien y se interesó en su orden. Es así de simple. Guiar las relaciones.

CLAVE 13:

El positivismo verdadero

Clave número 13 es el positivismo verdadero. Mi hija tiene un lápiz que ha vendido por años que dice: «La actitud lo es todo». Positivismo verdadero. Eso significa que la gente no necesita tus cosas negativas. No necesitan que tú se lo eches encima. Ellos no lo necesitan. Ellos desean un positivismo verdadero.

CLAVE 14:

LA CONCENTRACIÓN DE UN BULLDOG

Número 14 es la concentración de un bulldog. Yo tuve un gran perro por 15 años. Lo conseguí cuando tenía cinco años y él murió cuando yo tenía 19. Yo lo llamé «Checkers» y era un perro negro y blanco. Era un cruce de husky de Alaska, Malamute y Collie. Era un perro enorme. Un día yo pensé que se iba a morir porque se metió en una pelea terrible y sangrienta con un perro bulldog. El bulldog aferró sus dientes en la garganta de mi perro y casi lo mató. Apenas logramos salvar la vida de mi perro. Pero después de eso, mi perro cambió y aprendió algo. Cada vez que él se peleaba con otro perro, siempre hacía lo mismo que hizo ese bulldog y agarraba al otro perro por la garganta y no lo soltaba. Él aprendió a ser un bulldog. La concentración del bulldog simplemente implica tenacidad. Significa que tú no paras y no te das por vencido. Esa es la clave número 14.

CLAVE 15:

CREAR UNA ESTRUCTURA DE APOYO

Número 15 es que un verdadero profesional siempre crea una estructura de apoyo. Tú eres acogedor con cualquier cosa que te ayuda. ¿Oíste bien eso? Tú eres acogedor con cualquier cosa que te ayuda. Tú creas una estructura de apoyo. Todo lo que tú haces apoya tu decisión de crear un negocio. Tú no creas dudas con otras cosas. Todo lo que tú haces apoya tu decisión. Todo. Te haces amigo de todo lo que te ayuda a alcanzar tu meta.

CLAVE 16:

SIEMPRE UN CABALLERO O UNA DAMA

Un verdadero profesional siempre es un caballero o una dama. Tú nunca eres demasiado dominante o ruidoso. Eres un caballero. La marca de un verdadero caballero es que siempre piensa en la otra persona. Una verdadera dama siempre piensa en el otro individuo. Tú eres una verdadera dama. Tú eres un verdadero caballero. No eres vistoso; no eres ostentoso; no eres dominante.

∾

CLAVE 17:

Siempre tiene una gran compasión

Un verdadero profesional siempre tiene una gran compasión. Tú eres sensible a las necesidades de los demás. Siempre eres sensible y no sólo les intentas vender algo, sino que también tratas de averiguar qué les interesa y qué les preocupa.

CLAVE 18:

TÚ MANEJAS BIEN LOS ERRORES

Clave número 18 es que tú manejas bien los errores.

Hay cinco clases de errores.

Hay errores cometidos sin querer. Estos simplemente ocurren. Tú no estás preparado para ellos. No hiciste nada para causarlos. Son simplemente errores cometidos sin querer.

La segunda clase son los errores egoístas que ocurren porque eres demasiado terco o egocéntrico. Tú quieres que todo sea a tu manera.

La tercera clase de error son errores tontos. No piensas bien las cosas y ocurren errores tontos.

La cuarte clase de error ocurre por causa de haber recibido consejos erróneos de otra persona. Así que elige bien quién te aconseja.

Número cinco. Están los errores de temperamento, que tienen raíces en quién eres tú como persona. Así que debes conocer bien tu temperamento para saber qué tipo de errores cometerás con más probabilidad.

Pero el verdadero profesional sabrá manejar errores sin importar si cometió los errores sin querer o por egoísmo o estupidez u si ocurren por causa de consejos malos o por causa de su temperamento. El verdadero profesional manejará los errores. Significa que tú eres capaz de aprender la lección que necesitas para mejorar. Tú manejas los errores. Tú no permites que te derroten o que te depriman y te los tomas con calma. Tú eres un verdadero profesional.

CLAVE 19:

TIENE UN ESTILO INDIVIDUAL

El verdadero profesional tiene un estilo individual. En su libro, Michael Korda nos dice que hay siete estilos. Está el estilo reactivo, en el que tú siempre estás reaccionando a los demás. Hay un estilo de tribu, en el que la persona sólo quiere conformarse al grupo y no quiere ser diferente o distinguirse. También está el estilo egocéntrico. Yo soy un as y lo sé. Está el estilo conformista. Yo nunca quiero causar olas. Conformista significa que tú siempre deseas conformarte a la manera tradicional de hacer las cosas. Puede ser con las personas o con los patrones de hacer las cosas. Así que eres un conformista. O él dice que también está el estilo manipulador. Eres engañoso. Eres astuto. Eres un manipulador. Luego está el estilo socio-céntrico. Tú quieres crear balance y armonía y deseas que todos se lleven bien. Tú quieres reunir a todos los grupos sociales. También existe el estilo existencial, que es el estilo más grande de todos los estilos personales de negocios. El estilo existencial es un estilo que está motivado por la razón de ser. Va más allá. Está para ayudar a la gente. Está para crear algo positivo. Está para hacer algo más grande que ti mismo. Que quede claro, está bien tener un estilo individual, pero asegúrate de que tu estilo es positivo, que apoya y no es egocéntrico. Asegúrate de que tu estilo es un estilo bueno.

CLAVE 20:

Convicción incondicional en su sueño

El verdadero profesional tiene una convicción incondicional en su sueño o su meta.

En la universidad, yo seguía un patrón que llamaba «salir con alguien sin disculpas». ¿Qué significa? Yo tenía una regla. Yo no saldría con alguien por quien yo me tendría que disculpar. Yo no me casaría con alguien por quien me iba a tener que disculpar. ¡Nunca tuve que pedir disculpas por Amy! Yo salí con más de cien chicas en la universidad, lo disfruté mucho y lo pasé muy bien. Quizás sea esa la razón por la cual mis notas nunca fueron tan buenas. No obstante, esa era mi regla… salir sin disculpas.

Pues, tú quieres tener lo mismo en tu vida; en tu meta; en tu negocio. Tú quieres una meta que no requiera disculpas. Tú quieres un sueño que no requiera disculpas. Tú quieres un negocio que no requiera disculpas. Una vez que ya sepas que lo tienes, no le pidas disculpas a nadie.

CLAVE 21:

SE CONOCE POR SU VELOCIDAD

El verdadero profesional se conoce por su velocidad. ¡No te tardes una eternidad en analizar, debatir y cumplir! Porque los negocios te pasarán de largo en un abrir y cerrar de ojos. Siempre apunta a la velocidad. No dejes de lado la calidad, pero siempre apunta a la velocidad.

CLAVE 22:

AMA EL EXCESO

El verdadero profesional ama... ¡el trabajo! Ama el exceso. No fuera de balance, pero ama el trabajo. Eso significa generosidad. Sé generoso en exceso. Trabaja en exceso. Trabaja más que todos los demás. Ama lo que haces. Ama ser generoso. Ama dar a los otros. Ten un amor por la generosidad excesiva.

CLAVE 23:

TIENE DEFENSAS EXTERNAS FUERTES

Ten defensas externas fuertes. Es decir, necesitas tener un cuero duro. Necesitas tener resistencia.

¿Recuerdas a las personas que se reían de Joe Girard cuando fue al segundo y tercer banquete? Él decidió convertirlos en un incentivo para un crecimiento mayor y declaró: «¡Desde ahora seré el número uno! No me pueden vencer». Defensas externas fuertes. Eso es lo que a mí me gusta llamar el factor Churchill, porque él era un tipo duro.

CLAVE 24:

ES CUERDO Y TIENE BALANCE EN SU VIDA

El verdadero profesional es cuerdo y tiene balance en su vida. Él tiene un buen balance entre su trabajo y su familia; entre el desempeño y los hijos; entre el dinero y el matrimonio; entre Dios y su carrera. Siempre mantiene un balance sensato y saludable.

CLAVE 25:

Opera un negocio impulsado por un propósito

La última clave para ser un verdadero profesional es asegurar que estás operando un negocio impulsado por un propósito.

Quizás conozcas el libro de mayor ventas de la historia moderna, de Rick Warren, llamado Una Vida Con Propósito (The Purpose-Driven Life). También debemos tener un negocio con propósito. Tú necesitas un negocio que hará bien a otras personas. En Jeremías 29.11 hay una gran declaración de Dios en la Biblia. Dios habla y dice: «Porque yo sé los pensamientos que tengo acerca de vosotros, dice Jehová, pensamientos de paz y no de mal, para daros el fin que esperáis». (RVR 1960) Dios no sólo quiere que tú tengas una vida llena de propósito, sino también un negocio lleno de propósito. Yo creo que el propósito más grande es Su propósito. Y si tú no encuentras Su propósito, tú no tienes propósito.

Pero un negocio con propósito significa que tú te manejas según los principios de Dios, de ética, honestidad y pureza. Tú tienes un negocio que hará bien para los demás. Recuerda que tú eres un especialista en conexiones al consumidor. Tú quieres conectar a la gente con las personas correctas; con los servicios correctos; con los productos correctos.

En última instancia, yo espero que tú conectes a las personas a un Dios lleno de amor y a un Padre Celestial que cuida de ellos. Pero con lo que sea que elijas hacer, asegúrate de que eres un profesional. Que tu negocio siempre tenga un verdadero propósito. Si no es así, te acabarás agotado. El dinero solo no te dejará satisfecho. Tú necesitas un negocio con propósito.

Yo puedo hablar horas y horas acerca de toda esta información. Yo quiero que tú escuches este material y lo estudies y lo aprendes. Mi deseo es que Dios te bendiga. Si necesitas ponerte en contacto conmigo o necesitas información o recursos, por favor ponte en contacto conmigo a través de RonBall.org. Yo estoy orando por ti aunque yo te conozca o no. Yo realmente oro por ti. Yo quiero que Dios maximice tu vida, porque tu vida es el regalo más precioso que tienes. Así que vuelvo a desearte un sin fin de éxitos, y ¡sé un profesional completo!

¡Que Dios te bendiga!